LES CAHIERS DE SOINS *palliatifs*

LES PUBLICATIONS DU QUÉBEC
1500 D, rue Jean-Talon Nord, Sainte-Foy (Québec) G1N 2E5

VENTE ET DISTRIBUTION
Case postale 1005, Québec (Québec) G1K 7B5
Téléphone : (418) 643-5150, sans frais, 1 800 463-2100
Télécopieur : (418) 643-6177, sans frais, 1 800 561-3479
Internet : http://doc.gouv.qc.ca

Politique éditoriale

La Maison Michel Sarrazin s'associe à des personnes engagées en soins palliatifs pour publier ces Cahiers. Carrefour de réflexion critique et de recherche, ils mettent à contribution divers intervenants en soins palliatifs, dans une perspective interdisciplinaire. Ces Cahiers s'adressent aux personnes désirant approfondir une réflexion à propos des soins palliatifs ou des questions touchant le mourir. Ils proposent différents types de textes, notamment : réflexions critiques, comptes rendus de recherches, témoignages, recensions, entrevues. Tous les textes sont soumis à l'attention d'un comité de lecture. La décision finale de publication revient au Comité éditorial. Les opinions émises dans les articles n'engagent que leurs auteurs.

Comité éditorial

Les
PUBLICATIONS
DU QUÉBEC

LES CAHIERS DE SOINS *palliatifs*

Soins palliatifs

TENDANCES ET ENJEUX

Volume 1
Numéro 1

Québec

Les Cahiers de soins palliatifs ont été élaborés
à l'initiative et sous la supervision de La Maison Michel Sarrazin
2101, chemin Saint-Louis
Sillery (Québec)
G1T 1P5

Téléphone : (418) 688-0878
Télécopieur : (418) 681-8636
Courriel : soins@lmms.qc.ca

Secrétariat et administration
La Maison Michel Sarrazin

Cette publication a été éditée et produite par
Les Publications du Québec
1500 D, rue Jean-Talon Nord, 1er étage
Sainte-Foy (Québec)
G1N 2E5

Coordination du projet
Michel Poulin

Conception graphique de la couverture et de la mise en page
Lucie Pouliot

Dépôt légal – 1999
Bibliothèque nationale du Québec
Bibliothèque nationale du Canada
ISBN 2-551-18130-5
ISSN 1490-5191

Table des matières

Soins palliatifs TENDANCES ET ENJEUX

Gilles Nadeau, ptre, M. ès Arts, Th. • Responsable du service de la pastorale • La Maison Michel Sarrazin • Sillery • Québec • Courriel : soins@lmms.qc.ca

Éditorial

Gilles Nadeau, directeur

LE PREMIER NUMÉRO DES *CAHIERS DE SOINS PALLIATIFS* QUE VOUS TENEZ ENTRE VOS MAINS, TOUT JEUNE SOIT-IL, EST DÉJÀ ÂGÉ DE DEUX ANS. IL EST d'abord né comme un projet dans le cœur de quelques intervenants de La Maison Michel Sarrazin. Dans leurs échanges s'est rapidement imposée la certitude que ces Cahiers devaient se réaliser en association avec des personnes engagées en soins palliatifs provenant d'autres milieux.

Des collaborations ont été sollicitées. Les réponses positives reçues conduisirent à la mise sur pied du comité éditorial. Après avoir obtenu le feu vert des responsables de la Maison, qui s'engageaient à soutenir le projet, le Comité mit en chantier le premier numéro. Grâce à la réponse généreuse des auteurs sollicités, c'est avec beaucoup de fierté que nous vous l'offrons. Notre reconnaissance va à tous ceux et toutes celles qui, à leur façon, ont contribué à sa réalisation.

Les Cahiers de soins palliatifs n'ont pas d'autre raison d'exister que celle de mieux servir les malades et leurs proches, ceux et celles que nous accompagnons, d'une manière ou d'une autre, en nous inspirant de la philosophie des soins palliatifs. Nous nous tournons d'abord vers eux avec beaucoup de respect pour ce qu'ils vivent et beaucoup d'admiration pour ce qu'ils sont. Le mouvement des soins palliatifs, au Québec et en bien d'autres endroits, est en plein essor. Compétence, recherche, initiative, générosité, passion sont autant de signes de sa vitalité. La vie tend vers la maturité. Pour progresser, il nous faut échanger nos questions et nos réponses. Les Cahiers veulent apporter leur contribution en devenant un carrefour d'échanges, tel que nous l'avons décrit dans la politique éditoriale.

« Soins palliatifs : tendances et enjeux ». Nous avons choisi ce fil conducteur pour le premier Cahier. Sans avoir la prétention de présenter des analyses exhaustives, les auteurs nous fournissent des points de repère issus de leur engagement.

Deux pionniers nous racontent leur expérience et partagent leur point de vue. D'autres auteurs nous communiquent leurs perceptions des tendances et enjeux dans le domaine du bénévolat, de la recherche, de l'éthique. Un autre questionnera le sens donné aux mots *soins palliatifs*. Le résumé d'un volume dont nous avons fait la lecture complète ce numéro.

Ce Cahier ayant été créé dans le but de devenir un carrefour, puisse-t-il contribuer à votre réflexion et à vos échanges.

Volume 1 • Numéro 1 • Automne 1999

Marcel Boisvert, M.D. • Hôpital Royal-Victoria •
Télécopieur : 1-450-243-1769

Les soins palliatifs au Québec : récit d'un témoin engagé dès les premières heures

Marcel Boisvert, M.D.

Hier...

Les soins palliatifs, au Québec, ont pris racine un soir d'automne de 1972. Élizabeth Kubler-Ross avait accepté l'invitation de l'Université McGill à donner une conférence publique sur la mort, thème qui, déjà, lui avait apporté une notoriété certaine.

Publié cinq ans plus tôt, son livre *On Death and Dying* fit couler beaucoup d'encre en forçant les portes de la geôle qui emprisonnait les mourants dans un silence factice et complice.

Un médecin aîné de l'hôpital Royal-Victoria (HRV) avait suggéré à un jeune spécialiste que cela vaudrait la peine d'y assister... « Kubler-Ross ?... Connais pas. Une conférence sur la mort dans le plus grand amphithéâtre de McGill... c'est fou ! Il n'y aura personne ».

Mais voilà qu'il a eu peine à se faufiler. L'auditorium était plein : des gens assis sur chacune des marches des allées, coude à coude, debout en haut à l'arrière ; les plus jeunes assis par terre, même à l'avant, autour de la conférencière.

« C'est l'idée que je m'étais faite de Jésus prêchant à la foule en Galilée », d'avouer le docteur Balfour Mount, alors jeune urologue, formé au Memorial Sloan-Kettering (New York), plus friand de marathon opératoire de 10 heures à extirper des cancers métastasiés que de parler de mort aux mourants.

Sans cette admonition fraternelle de son supérieur, Balfour Mount aurait peut-être manqué un des virages cruciaux de sa carrière, et les débuts québécois des soins palliatifs auraient eu une tout autre histoire.

Mais le sol était fertile et la magie de Kubler-Ross, ensorcelante. Le 7 février suivant, cinq ou six paroissiens (un pasteur, deux chirurgiens de l'HRV dont le docteur Mount, et quelques laïcs) se réunirent dans l'église Dominion Douglas, à Westmount, pour explorer les besoins des mourants. Voulant dépasser les conjectures et les anecdotes, on convint d'une enquête directe auprès des malades concernés et du personnel soignant de l'HRV. Un comité *ad hoc* fut formé et le sondage fut autorisé. Le docteur Mount avait eu la juste intuition d'une participation de personnes-clés de plusieurs services et de plusieurs disciplines. Il élabore un premier questionnaire, lequel sera vite testé et peaufiné.

En même temps que l'on procède à cette étude dans les règles, le docteur Mount demeure convaincu de la valeur des anecdotes, de ces biographies de mourants, plus « humanisantes » que des statistiques tirées de réponses à des questions à choix multiples. Un jeune étudiant en 2e année de médecine en fera son projet de vacances.

Maintes fois, depuis vingt-cinq ans, plusieurs données du sondage ont été citées, à savoir que les patients, à l'encontre de leur personnel soignant, désiraient, en grande majorité, être renseignés sur le diagnostic, sur l'évolution de leur maladie, sur le pronostic précis ; qu'à l'encontre des médecins, une forte majorité des patients imputaient à l'hôpital la responsabilité de leurs soins terminaux ; qu'en général, la plupart des professionnels et des autres intervenants se croyaient plus à l'aise que leurs collègues face à la mort et aux mourants…

Lors d'une conversation récente, le docteur Mount me rappela que si les résultats du sondage, présentés à tous les services de l'hôpital lors de conférences-midi, ont ébranlé clairement et positivement une grande proportion du personnel soignant, ce sont les anecdotes et les biographies de malades qui ont eu le plus d'effet sur la détermination de voir changer les choses.

Ces récits pointaient du doigt tous nos manquements, nos faiblesses, notre insensibilité face aux patients les plus démunis et les plus vulnérables.

L'élaboration d'un projet pilote fut approuvée par le CMDP (Conseil des médecins, dentistes et pharmaciens) et, pour l'histoire, une certaine résistance appréhendée des services chirurgicaux ne se manisfesta point ; elle vint plutôt des services médicaux. À ce jour persiste cette lame de fond, même si, au jour le jour, tous se rallient et participent en quelque sorte à l'existence du service de soins palliatifs.

« Tous les chemins menaient à Londres », de raconter le docteur Mount. En août 1973, une première immersion d'une semaine au St-Christopher's Hospice lui fit constater l'efficacité de l'approche palliative. La sensibilité, l'humanisme, l'attention portée au moindre détail, l'efficacité d'une pharmacothérapie créatrice administrée dans un contexte de douleur totale où les aspects spirituel, social et psychologique se retrouvaient vraiment sur le même pied que les données pathophysiologiques. « Je n'avais jamais vu de soins médicaux compétents pratiqués à un niveau d'humanisme aussi élevé », me dit-il.

C'était, l'avait écrit Twycross, le spectacle des soins palliatifs corrigeant le déséquilibre de la biotechnomédecine (« ... to redress the balance of Medicine »).

Le point tournant...

En plein vol de retour de ce premier voyage au St-Christopher's Hospice (il y fera un stage de trois mois, l'année suivante), encore édifié par la qualité des soins, le docteur Mount réalise soudain que si 70 % des décès ont lieu à l'hôpital, il serait impossible, économiquement parlant, de construire et d'administrer suffisamment d'hospices pour prodiguer des soins de cette qualité à l'ensemble des mourants nécessitant des soins palliatifs.

Il est vite convaincu qu'il faut plutôt développer des services de soins palliatifs intrahospitaliers avec accès direct et facile pour cette clientèle et étendre ces soins à tout malade assez bien portant et assez bien conforté par ses proches pour demeurer à domicile. Une fois cette vision perçue, l'identification et la position des pièces sur l'échiquier s'imposèrent d'elles-mêmes.

Il faudra : une unité de soins, une équipe de consultation au service des malades et des équipes de soins sur les étages, une équipe de suivi à domicile, un service de consultation externe, un service de suivi au deuil et des activités de recherche et d'enseignement.

Le tout sera à compléter par des services de pastorale, de musicothérapie / art thérapie, d'ergo / physiothérapie, de soutien psychologique pour l'équipe et d'indispensables bénévoles spécifiquement préparés pour leur délicate mission.

Ce sont là les premières recommandations du Comité responsable de l'élaboration d'un projet pilote, partiellement financé par le gouvernement provincial.

Pour se concevoir et s'articuler, une équipe de soins palliatifs devait se pourvoir d'un financement adéquat. Les honoraires des médecins posaient un problème, les salaires déjà prévus au budget pour les autres professionnels étant approuvés sans difficulté.

Grâce à une ouverture d'esprit visionnaire des fonctionnaires du ministère québécois de la santé, ce qui paraissait comme une barrière infranchissable est écarté. Sans le salariat-vacation approuvé sans réticence par le ministère de la Santé, le Québec ne serait pas devenu le leader international des soins palliatifs intrahospitaliers. Cette modalité a d'ailleurs été adoptée et adaptée depuis par de nombreux pays y compris l'Angleterre, seul pays à dépasser le Québec sur ce chapitre.

Consolidation

La suite de l'histoire est mieux connue. Malgré une méfiance naturelle, donc prévisible, envers tout changement majeur, le Service des soins palliatifs (SSP) de l'HRV s'est développé, tissant patiemment, par sa disponibilité et sa compétence croissante, des mécanismes de collaboration avec les collègues des autres services de l'institution. Sur ce point, l'équipe de consultation joua un rôle de premier plan au niveau intrahospitalier. Le service de suivi à domicile « 24 / 7 », assuré par des infirmières du SSP, a tôt fait d'établir l'incontestable valeur d'un continuum réel des soins qui assurent, en même temps qu'un bon soulagement de la douleur et des symptômes, la rassurance qui découle d'un soutien psycho-socio-spirituel par une équipe dont l'homogénéité et l'interdisciplinarité sont immédiatement perçues par le malade et sa famille.

Il y eut une bonne dose de critiques, tous les services de soins palliatifs (SSP) étant, je crois, à un moment ou à un autre, considérés comme démesurément choyés par leur institution. La vérité est tout autre. On n'a pas toujours su, avec un tact suffisant, expliquer aux collègues que les services de musicothérapie ou d'art thérapie, de pastorale, de psychologie ou de psychiatrie, de bénévolat hautement structuré étaient entièrement défrayés par les collectes de fonds propres au SSP et par les donations des familles et du public...

Peut-être a-t-on été trop lent à déborder le cadre de la cancérologie dans le choix des patients. Au début, il semblait que viser trop large, c'était risquer de compromettre notre crédibilité par manque de compétence dans certains domaines. Par contre, le champ des activités palliatives n'a cessé de s'élargir, couvrant tous les secteurs de l'hôpital, de l'unité de dialyse en passant par le département de transplantation jusqu'au pavillon de psychiatrie.

L'histoire se poursuit avec l'essaimage à Montréal, à Sherbrooke, à Québec, à Drummondville, etc. ; la liste est longue et je m'excuse de passer sous silence tant de réalisations méritoires.

Depuis, le Québec est devenu une terre d'apprentissage pour des centaines de professionnels de la santé en provenance des cinq continents, et de nombreux spécialistes d'ici ont été et continuent d'être invités à titre de conférenciers et de conseillers experts en soins palliatifs.

Aujourd'hui...

Les soins palliatifs ont bien planté leur tente dans le vaste champ des soins de santé. Malgré tout, il faut continuer sans relâche à en resserrer les cordages car, dans la tourmente des compressions budgétaires, on a déjà vu et, malheureusement, je crains qu'on ne voit encore le vent risquer de tout emporter.

Il y a quelques années, au plus fort des compressions, on n'a pas hésité à considérer la fermeture de l'Unité de soins palliatifs (USP) de l'HRV comme une possibilité. Face à une opposition quasi générale, l'administration s'est limitée à soustraire deux des dix-huit lits de l'unité. L'Hôpital des convalescents de Montréal a fermé son USP de 21 lits ; le raz-de-marée a touché Drummondville (de mémoire...) ; il y a deux ans, dans la rationalisation du virage ambulatoire, on a éliminé les quatre postes d'infirmières qui assuraient le suivi palliatif à domicile auprès d'une centaine de malades de l'HRV, avant que soit assurée la relève par les CLSC. Les conséquences prévisibles ont vite été ressenties.

Par ailleurs, les soins palliatifs ont accumulé un respectable corpus de savoir dans plusieurs disciplines, colligé dans un nombre grandissant de revues professionnelles. Des recherches, indispensables à l'établissement et au maintien d'une crédibilité, sont en cours. Elles soulèvent des difficultés méthodologiques énormes inhérentes à tout domaine où le non-mesurable (ou le difficilement mesurable) occupe une large part du paysage.

On peut et on doit à juste titre se réjouir de la publication d'un ouvrage aussi imposant que le *Textbook of Palliative Medicine* (un des volumes les plus en demande parmi tous les titres publiés par la Oxford University Press) et du non moins méritoire projet pancanadien « Palliative Medicine, a case-based manual » (en voie de traduction), lequel sera régulièrement mis à jour et remis à chaque diplômé en médecine de toutes les facultés canadiennes.

Demain…

Dans l'éditorial du *Journal of Palliative Care* (Printemps 1999, vol. 15, nº 1), David Roy se demande quel sort fut réservé aux 13 recommandations majeures du rapport *Soins palliatifs 2000*, du groupe d'experts réunis sous la présidence du docteur John Scott et soumis à la demande des dirigeants du projet « Cancer 2000 ».

Il considère comme essentielles trois des treize recommandations :

- la création de 16 centres régionaux de soins palliatifs ;
- l'implantation d'un curriculum obligatoire en soins palliatifs dans les institutions d'enseignement des sciences de la santé ;
- l'instauration, en médecine et en sciences infirmières, d'une spécialité en soins palliatifs.

À première vue, il semble que, pour des motifs plus politiques que philosophiques, le Collège royal des médecins et chirurgiens du Canada hésite à se prononcer clairement en faveur d'un projet de spécialisation en médecine palliative semblable à ceux qui ont assuré l'envol des soins palliatifs en Angleterre, en Nouvelle-Zélande et en Australie. De cette première décision dépend le sort qu'on réservera aux deux autres recommandations mentionnées plus haut.

Seule l'histoire imputera les responsabilités et évaluera les conséquences de cette décision. L'expérience actuelle suffit déjà pour affirmer qu'une formation d'une année ne donne pas, et de loin, l'expertise manifeste des spécialistes anglophones d'outre-mer.

Cela dit, une réflexion s'impose quant à l'orientation que la relève voudra donner aux soins palliatifs. Déjà, en 1992, Michael Kearney s'inquiétait d'un penchant s'accentuant pour repousser les soins palliatifs dans le modèle biomédical traditionnel. Celui-ci favorise davantage l'accumulation de données probantes plutôt que les efforts à explorer et à inventer de nouvelles méthodologies pour mesurer le « non-mesurable » omniprésent en soins palliatifs (*Palliative Medicine*, 1992, 6 : 39).

Ce souci est justifié, car il m'apparaît inévitable que si le mouvement palliatif se résigne à laisser tomber le non-mesurable parce qu'il est trop difficile à objectiver, il deviendra rapidement « just another specialty ».

Je n'en veux pour preuve que l'éditorial signé par Ahmedzai dans *Progress in Palliative Care* (1997, 5(6) : 235). « À tout considérer, la souffrance imputable à nos pertes et à nos deuils, au manque d'affection, au doute existentiel et tout autant à la pauvreté ou à la cruauté, ne relève pas de la médecine et la responsabilité n'en incombe pas aux disciplines de la santé ». « C'est correct d'être un "symptômatologue" et d'en être fier » (traduction libre).

Ce retour aussi désolant qu'incroyable au déshumanisant dualisme cartésien doit faire réfléchir… et réagir. Le temps approche peut-être de réaffirmer que l'âme ou l'esprit ou la spiritualité ne sont pas du domaine de la foi, mais de l'évidence, du sens commun, de la sensibilité, c'est-à-dire du cœur.

Comment ne pas sentir que la sympathie, la tendresse, un toucher silencieusement fraternel, une oreille accueillante aux pires balbutiements de détresse du malade face à la mort peuvent ouvrir une brèche au soleil, dans des recoins « fractals » de l'âme, inaccessibles à la morphine ou au valium ?

Le cœur n'a-t-il pas ses raisons que la raison ne connaît pas ? (Pascal). L'âme, comme le vent, se dénature sitôt embouteillée. Il restera toujours des impondérables.

Il sera, je crois, moins important dans le 3e millénaire de chercher à mesurer le non-mesurable que d'en reconnaître et d'en réaffirmer l'importance. Il faut relire l'éditorial de John Hoey, rédacteur en chef du *Journal de l'Association médicale canadienne* (CMAJ 1998, 159(3) : 241), dans lequel il conclut à la nécessité de l'effort de maîtriser à la fois et les données probantes et le fait qu'il n'existe qu'une et qu'une seule madame Jones. C'est la reconnaissance explicite que la personne se définit d'abord par ses non-mesurables. Il ne faut surtout pas que la médecine traditionnelle redresse les soins palliatifs comme l'appréhende parfois le docteur Mount, dans une évidente paraphrase de Twycross. Science et humanisme sont ici incontournables. Dans le *British Medical Journal* (1992, 304 : 579), Colin Douglas écrit : « Les soins palliatifs, c'est trop beau pour être vrai et trop petit pour être utile » (« The hospice movement is too good to be true and too small to be useful »).

Le futur des soins palliatifs et des malades qui pourraient en bénéficier est entre les mains de ceux et de celles qui répondront à l'exhortation de George et Sykes dans *New Themes in Palliative Care* (Open University Press, 1997, p. 239), qui feront en sorte que les soins palliatifs seront « trop bons pour s'en passer et trop utiles pour être petits » (« too good to ignore and too useful to be small ») (traduction libre).

Claude Lamontagne, M.D.,c.c.m.f., f.c.m.f. •
La Maison Michel Sarrazin • Sillery • Québec • Professeur •
Département de médecine familiale • Université Laval •
Courriel : claude.lamontagne@videotron.ca

Évolution et tendances à travers les définitions des soins palliatifs

Claude Lamontagne, M.D.

Depuis la création du St-Christopher's Hospice de Londres par Dame Cicely Saunders en 1967, les soins palliatifs ont été définis à maintes reprises, pour différents usages, par des programmes, des établissements d'enseignement, des associations nationales et l'Organisation mondiale de la santé. Ces diverses définitions démontrent d'une part une fidélité au modèle proposé par les fondateurs quant à la philosophie des soins, mais d'autre part, un changement pour ce qui est des clientèles visées et des phases de la maladie où les soins palliatifs deviennent indiqués. Je présenterai quatre définitions et j'aborderai les éléments significatifs qui les rapprochent ou les distinguent.

Définitions

Je souligne que, dans le monde anglophone, on utilise trois expressions pour nommer les soins palliatifs : *hospice care, terminal care* et *palliative care*. Ces trois appellations ne veulent pas dire exactement la même chose. Même si elles désignent toutes des soins palliatifs, le *terminal care* les situe dans les dernières semaines de la vie, l'*hospice care*, dans un programme et un lieu particulier qu'est « l'hospice » (une maison de soins palliatifs), et le *palliative care* indique les soins palliatifs sans restriction de lieu et de temps. Dans le monde francophone, nous avons utilisé d'emblée la dénomination *soins palliatifs*.

Je n'ai pas trouvé dans les écrits des années 60 de Cicely Saunders une définition formelle des soins palliatifs, mais elle a proposé un modèle[1] dans lequel elle divisait les soins en deux phases, soit curatifs et palliatifs, ces derniers étant subdivisés en soins palliatifs actifs et en soins terminaux. Les premiers centres et programmes de soins palliatifs s'adressaient aux personnes en phase terminale de maladie, surtout le cancer et, pour un petit nombre, certaines maladies neurologiques. Dame Saunders a aussi proposé des buts, une philosophie et une approche dans lesquels on retrouve particulièrement les éléments suivants : le soulagement des symptômes et la qualité de vie, l'approche bio-psycho-socio-spirituelle et la satisfaction des besoins de toutes dimensions, l'aide aux patients et à leurs proches, le besoin d'une équipe interdisciplinaire.

Voici les quatre définitions qui feront l'objet de mon analyse.

Une première définition, datant de 1972, nous vient d'Angleterre et touche les soins palliatifs *terminal care* :

« Les soins terminaux s'appliquent aux traitements des patients pour qui la mort est certaine et prochaine, et pour qui les soins ne peuvent plus viser le traitement de la maladie, mais le soulagement des symptômes et le soutien du patient et de sa famille[2]. »

L'Organisation mondiale de la santé (OMS) a publié une définition des soins palliatifs, en 1990, qui se lit comme suit :

« Soins actifs globaux dispensés aux patients dont la maladie ne répond plus au traitement curatif. L'atténuation de la douleur, des autres symptômes, et de tout problème psychologique, social et spirituel devient essentielle. L'objectif des soins palliatifs est d'obtenir pour les patients et leur famille la meilleure qualité de vie possible. La plupart des aspects des soins palliatifs peuvent également être offerts plus tôt au cours de la maladie parallèlement au traitement anticancéreux[3]. »

En septembre 1998, l'Association canadienne de soins palliatifs (ACSP) a adopté la définition suivante :

« Les soins palliatifs visent à soulager les souffrances et à améliorer la qualité de vie des personnes qui sont à un stade avancé de leur maladie, de celles qui sont en fin de vie, et de celles qui vivent un deuil[4]. »

Et finalement, voici une proposition de définition faite aussi par l'ACSP à l'intérieur d'un exercice d'élaboration de normes de pratique qui a débuté en 1995 et qui fait l'objet d'une large consultation :

« Les soins palliatifs, en tant que philosophie, allient les thérapies actives et de soutien moral en vue de soulager et d'aider le patient et sa famille qui font face à une maladie mortelle, et ce, pendant la maladie et le deuil. Les soins palliatifs s'efforcent de répondre aux attentes et aux besoins physiques, psychologiques, sociaux et spirituels du patient et de sa famille tout en demeurant sensibles à leurs valeurs, leurs croyances et leurs pratiques personnelles, culturelles et religieuses. Les soins palliatifs peuvent être dispensés conjointement à une thérapie visant à atténuer ou guérir une maladie, ou ils peuvent être les seuls soins dispensés[5]. »

Similitudes

Dans toutes les définitions, le groupe visé par les soins est constitué des patients et de leurs proches. Il est d'abord heureux qu'on les nomme patients et non clients, bénéficiaires ou usagers. Et on parle de famille, ces définitions provenant presque toutes du monde anglophone, alors qu'au Québec, nous parlons plutôt des proches. Il est explicite que l'on ne souhaite pas uniquement une approche systémique dans la compréhension du patient, mais que le patient et ses proches sont tous objets de soins et de soutien. Même si les définitions ne l'indiquent pas, il est important d'affirmer la primauté du patient comme « soigné » et comme personne autonome qui conserve son droit à la décision et à la confidentialité.

Une deuxième similitude concerne les objectifs de soins palliatifs que sont le soulagement des symptômes et l'accompagnement. On les retrouve dans toutes les définitions, exprimés de façons différentes : soulagement et soutien ; atténuation de la douleur, des autres symptômes et de tout problème psychologique, social et spirituel ; soulagement des souffrances ; thérapies actives et de soutien moral en vue de soulager et d'aider. Dans les définitions de l'OMS et de l'ACSP, on nomme aussi l'amélioration de la qualité de vie des patients et de leurs proches comme but des soins palliatifs, cela étant implicite dans les deux autres. Cette constance à travers les ans montre une fidélité aux buts des soins palliatifs tels qu'ils sont présentés par Saunders, quand elle a parlé de *total pain* et d'une approche centrée sur la personne dans toutes ses dimensions (physique, psychologique, sociofamiliale et spirituelle).

Différences

On remarque d'abord que la première définition concerne les soins terminaux alors que les trois autres portent sur les soins palliatifs. Cela ne la distingue pas à tous égards, puisque, dans les années 70, le *terminal care* désigne souvent tous les soins palliatifs offerts. Ce n'est que dans les années 80 et 90 que certaines définitions et programmes étendent les soins palliatifs aux personnes à d'autres phases de maladie que la phase terminale.

Les différentes définitions précisent les phases d'évolution des maladies auxquelles les personnes peuvent bénéficier des soins palliatifs. La façon de désigner ce temps des soins palliatifs est variable, plus ou moins précise et parfois ambiguë (voir le tableau 1).

Les deux premières définitions proposent un temps précis : lorsque la mort est certaine et prochaine, dans un cas, et quand la maladie ne répond plus au traitement curatif, dans l'autre cas. Cette dernière comporte donc une période potentiellement plus longue, soit toute la phase palliative, mais très variable selon les maladies et pour laquelle il est difficile d'en déterminer le début, sauf pour des maladies comme le cancer.

Tableau 1

Provenance	Année	Temps des soins palliatifs
Angleterre	1972	« ...pour qui la mort est certaine et prochaine, et pour qui les soins ne peuvent plus viser le traitement de la maladie... »
OMS	1990	« ...dont la maladie ne répond plus au traitement curatif... La plupart des aspects des soins palliatifs peuvent également être offerts plus tôt au cours de la maladie parallèlement au traitement anticancéreux. »
Comité de normalisation (ACSP)	1995	« ...qui font face à une maladie mortelle, et ce, pendant la maladie et le deuil... Les soins palliatifs peuvent être dispensés conjointement à une thérapie visant à atténuer ou guérir une maladie... »
ACSP	1998	« ...qui sont à un stade avancé de leur maladie, de celles qui sont en fin de vie, et de celles qui vivent un deuil. »

Comment pouvons-nous fixer le début de la phase palliative d'une insuffisance rénale ou cardiaque, d'une sclérose latérale amyotrophique ou d'un SIDA, puisqu'ils n'ont aucun traitement curatif pour la plupart ? Les deux définitions de l'ACSP ne proposent pas un temps précis : dans l'une, on parle d'une maladie mortelle, et dans l'autre, du stade avancé d'une maladie ou de la fin de vie. Ce temps incomplètement défini permet l'application des soins palliatifs durant une période qui peut précéder la fin de la phase curative ou être beaucoup plus tardive que celle-ci. Cela donne alors une plus grande souplesse, une plus grande liberté de déterminer la période des soins palliatifs, selon les besoins, les circonstances et les possibilités.

Seules les définitions canadiennes précisent que les soins palliatifs s'étendent à la période de deuil pour la famille, mais nous savons que, dès le début, en Angleterre, le St-Christopher's Hospice offrait un service d'accompagnement pour la famille après le décès du patient.

Une dernière chose est à signaler sur la question du temps : les définitions de l'OMS et du comité de normalisation de l'ACSP ajoutent en dernière partie que les soins palliatifs peuvent être offerts durant la phase curative, ce qui pourrait inclure le moment du diagnostic. Est-ce qu'on croit que tout besoin de soulagement de symptômes et de soutien moral se définit comme soins palliatifs ? On pourrait dire alors que la bonne médecine et les bons soins infirmiers, en grande partie, sont des soins palliatifs. Est-ce qu'on croit devoir offrir des programmes de soins palliatifs à ces phases précoces de maladie ? Ou peut-être veut-on signifier que l'approche des soins palliatifs ou la philosophie des soins palliatifs est applicable à d'autres circonstances de soins ?

Une autre différence à souligner concerne les maladies durant lesquelles des personnes bénéficieraient de soins palliatifs. Seule l'OMS spécifie la douleur dans le soulagement des symptômes et nomme les traitements anticancéreux quand elle émet la possibilité d'étendre les soins palliatifs à des phases plus précoces de maladie. Ces deux éléments donnent à la définition de l'OMS une apparente exclusivité aux personnes atteintes de cancer, alors que les trois autres ne nomment aucune maladie particulière.

Conclusion

L'analyse de ces quatre définitions démontre les similitudes quant aux buts des soins palliatifs (soulagement des symptômes et soutien) et à la clientèle visée (patients et proches). Elle révèle aussi des différences, particulièrement dans la période d'évolution de maladies durant laquelle les personnes devraient bénéficier de soins palliatifs, et les sortes de maladies qui rendent les personnes admissibles. Elle montre aussi une tendance à vouloir offrir des soins palliatifs à des phases relativement précoces de maladie. En résumé, on peut souligner deux indices d'évolution des soins palliatifs : une admissibilité accrue aux personnes atteintes de toute maladie (et non seulement de cancer) et une ouverture des soins palliatifs de la phase terminale d'une maladie à sa phase avancée (peut-être précoce). Cette ouverture à des phases précoces de maladie, à mon sens, ne devrait être comprise que comme l'application de l'approche des soins palliatifs à d'autres contextes de soins et non comme une nécessité d'encadrer de tels soins dans des programmes et une obligation qu'ils soient dispensés par des experts. Car les soins palliatifs continueront d'être reconnus comme partie intégrante de bons soins professionnels et dispensés par une majorité d'intervenants non experts.

---

1. Saunders, C.M. *The management of terminal disease*, Londres, Edward Arnold, 1978 ; p. 2.

2. Holford, J.M. *Terminal care. Care of the dying*. Compte rendu d'un symposium national tenu le 29 novembre 1972, HMSO, Londres.

3. *Cancer pain relief and palliative care*. Technical report series 804. Genève, Organisation mondiale de la santé, 1990.

4. *AVISO* (bulletin d'information de l'Association canadienne de soins palliatifs). Ottawa, printemps 1999.

5. *Les soins palliatifs : vers un consensus pour une normalisation de la pratique*. Association canadienne de soins palliatifs. Document de travail, 1995.

Volume 1 • Numéro 1 • Automne 1999

Bernard Keating, Ph. D. • Faculté de théologie
et de sciences religieuses • Université Laval • Québec •
Courriel : bernard.keating@ftsr.ulaval.ca

Éthique en soins palliatifs

Bernard Keating, Ph. D.

Tenter de faire le point à propos des rapports qu'entretiennent les soins palliatifs et l'éthique n'est pas une mince tâche ! Le fait que les éditeurs du prestigieux *Oxford Textbook of Palliative Medicine* aient pris la décision d'inclure dans la seconde édition de l'ouvrage un chapitre consacré à l'éthique indique à la fois la pertinence reconnue à l'éthique dans le milieu clinique et son insertion organique au sein des sciences médicales. Les questions et les problèmes éthiques ont maintenant droit de cité au sein de la réflexion professionnelle. Il ne faut pas croire pour autant que l'éthique y était auparavant absente ; il en est de l'éthique comme de la prose, il n'est pas besoin de connaître le substantif *éthique* pour être mû par une préoccupation éthique et agir selon ses exigences, pas plus qu'il n'était nécessaire à Monsieur Jourdain de connaître le terme *prose* pour en faire un bon usage !

Les soins palliatifs comme position éthique

L'éthique, avant d'être une discipline scientifique, est une dimension de la vie quotidienne. Chaque jour, en effet, nous prenons des décisions qui manifestent et mettent en œuvre une certaine vision de la vie. Implicitement, ces décisions font appel à nos conceptions d'une vie réussie, d'une vie digne d'être vécue ; elles incarnent plus ou moins adéquatement nos projets de vie. Ce n'est pas que ceux-ci soient immédiatement disponibles à notre conscience, loin de là ! Nos projets de vie, nos conceptions de la vie bonne ou digne d'être vécue viennent le plus souvent à la conscience aux tournants de nos vies : choix professionnels, on aurait dit autrefois « choix vocationnels », crises majeures provoquées par la maladie, par le deuil ou par la rupture d'un lien particulièrement significatif. Ces prises de conscience peuvent également être le fait d'un événement heureux : naissance d'un enfant, mariage ! Mais il faut bien l'avouer, le plus souvent, c'est à l'occasion des événements malheureux que nous sommes appelés à nous demander : « Qu'est-ce qui compte vraiment dans la vie ? Qu'est-ce qui a vraiment de l'importance ? ».

Une première façon de lier la problématique des soins palliatifs à celle de l'éthique consiste donc à examiner les soins palliatifs comme une position éthique, c'est-à-dire comme mettant en œuvre une conception particulière de la vie, comme une façon spécifique de « se poser » dans la vie ! Quelles sont les caractéristiques essentielles de cette position ?

Une première caractéristique de cette position est la reconnaissance, en acte, du fait que la maladie ne touche pas simplement la dimension organique de la personne mais la personne dans toutes ses dimensions : physique, émotive, relationnelle et spirituelle et que ces dimensions sont intimement liées les unes aux autres. Dans cet ordre d'idées, le concept de « douleur totale » manifeste la volonté des praticiens des soins palliatifs de tenir compte de ces multiples dimensions de la personne. Affirmer que « lorsqu'il n'y a plus rien à faire, tout reste à faire », c'est, en effet, refuser de réduire la personne à sa dimension organique et renouer avec la conception modeste et humaniste de la médecine que traduisait l'adage traditionnel selon lequel l'office du médecin se définit ainsi : « Guérir parfois, soulager souvent, réconforter toujours ! ». Conception modeste mais, somme toute, réaliste ! Chez certains, un pareil adage pourrait sans doute éveiller un soupçon de passivité, voire de fatalisme ; la médecine ne saurait se résigner, baisser les bras devant la maladie ! Elle doit lutter sans cesse ! Le combat contre la maladie peut toutefois se retourner contre le patient, contre cet individu singulier qui n'en peut plus, et se muer en acharnement thérapeutique.

On touche ici une seconde caractéristique des soins palliatifs : la reconnaissance du caractère singulier de chacun, la reconnaissance que ce malade fut l'acteur d'une histoire unique qui vient aujourd'hui à son terme, du moins dans sa dimension « terrestre », mais dont il doit néanmoins demeurer le principal acteur. Cette reconnaissance se traduit de multiples façons : possibilité pour chacun d'aménager sa chambre selon son bon vouloir, approche personnalisée des soins, respect de l'intimité permettant d'éviter que soit piétiné le jardin secret que chacun porte en soi… De plus, l'expertise pointue développée dans le contrôle de la douleur favorise le maintien d'un état de conscience qui fera en sorte que le patient ainsi soulagé aura de meilleures chances de demeurer « lui-même ». Il pourra, en conséquence, exercer son autonomie et faire « des choix qui lui ressemblent ».

En plus de favoriser l'exercice de l'autonomie, le maintien de l'état de conscience est une condition nécessaire au maintien de la vie relationnelle. L'éthique des soins palliatifs, et c'est la troisième caractéristique, est une éthique relationnelle. D'une part, elle accorde une large place au réseau familial et amical ; au point que pour les praticiens, le patient c'est non seulement l'individu organiquement malade, mais son réseau familial et amical, malade de voir mourir une personne aimée. C'est pourquoi on porte en soins palliatifs une attention particulière au deuil et à son suivi. D'autre part, la notion de « communauté de soins » est peut-être celle qui convient le mieux pour décrire les rapports entre les divers intervenants en soins palliatifs. L'idée de « communauté » implique en effet un engagement éminemment personnel au service d'un idéal commun. Les soins palliatifs, il faut l'affirmer sans fausse pudeur, sont vécus par plusieurs comme une « vocation ». L'idée de communauté connote également un engagement du cœur, une chaleur qui se diffuse, un lieu d'accueil plus familial qu'institutionnel… Peut-être serait-il exagéré de dire que le séjour d'un malade dans une maison de soins palliatifs est la rencontre de deux familles, mais je suis convaincu que pour beaucoup de familles cette image aurait néanmoins un sens !

Voici donc tracés les traits majeurs de l'éthique que mettent en œuvre les soins palliatifs. Ils déterminent la physionomie particulière des soins palliatifs. Ils n'en sont pas l'apanage exclusif ; d'autres domaines de la médecine en sont animés. Il y a des airs de famille ! Néanmoins, ils donnent aux soins palliatifs un visage tout à fait particulier où transparaît une certaine idée de ce que c'est que d'être pleinement humain ou pour le dire autrement, d'être simplement humain.

Des convictions à la perplexité

Revenons maintenant à une perspective qui nous est plus familière lorsque nous parlons d'éthique. Parlons de problèmes et de questions éthiques ! Nous n'avons pas vraiment à nous reprocher qu'il en soit ainsi. Poursuivons la métaphore du début. Tout comme il est normal de consulter une grammaire lorsqu'on bute sur un accord, il est normal de se tourner vers l'éthique lorsqu'on est perplexe face à la difficulté d'une décision morale.

Les problèmes éthiques rencontrés dans la pratique des soins palliatifs sont multiples, aucun n'est tout à fait exclusif aux soins palliatifs, mais les problèmes classiques de l'éthique médicale y trouvent une coloration particulière en raison d'un contexte où la fin de la vie est imminente. Pensons, à titre d'exemple, à l'éthique de l'expérimentation et aux questions relatives au consentement. Il peut paraître odieux de proposer à des personnes vivant les derniers instants de leurs vies de se soumettre à un protocole expérimental et difficile de s'assurer du respect des conditions d'un consentement libre et éclairé dans un contexte où la personne peut avoir l'impression de tant devoir à ceux qui assurent son confort. Si aucune question n'est exclusive, certaines ont néanmoins des liens étroits avec la pratique des soins palliatifs : ce sont d'abord les questions liées à la non-initiation des traitements ou à la cessation de ceux-ci ainsi que celle de l'euthanasie ; ce sont ensuite celles des traitements qui risquent de précipiter la mort sans que ce soit là l'objectif poursuivi.

Les soins palliatifs entretiennent une relation bien particulière avec l'euthanasie, puisque d'une part, selon le sentiment populaire, les demandes d'euthanasie devraient être nombreuses dans ce contexte et que d'autre part, les soins palliatifs sont souvent vus et présentés comme une alternative à l'euthanasie. On ne peut nier l'antagonisme qui oppose soins palliatifs et euthanasie, antagonisme sans doute en partie fondé sur la crainte que l'acceptation sociale de l'euthanasie ne se mue rapidement en pression sociale en faveur de l'euthanasie. Celle-ci, en effet, pourrait apparaître aux yeux de certains comme une solution bien plus rationnelle pour le soulagement des souffrances qui accompagnent immanquablement la fin de la vie que le recours à des soins palliatifs gourmands en ressources humaines !

Un détour est nécessaire avant d'entrer de front dans la polémique au sujet de l'euthanasie. Ce détour passe par la non-initiation et l'interruption de traitement. Il est essentiel pour deux raisons : d'abord, parce que la légitimité des soins palliatifs repose précisément sur la conviction qu'il est moralement acceptable, dans certaines circonstances, de cesser ou de ne pas entreprendre un traitement, ensuite parce que certains des auteurs favorables à l'euthanasie mettent en doute le bien-fondé de la distinction traditionnelle entre le laisser mourir survenant à la suite d'une cessation ou d'une non-initiation d'un traitement et l'euthanasie définie comme action ou omission dont l'intention est de provoquer la mort. Cela signifie que, pour certains, la pratique de soins palliatifs relève tout simplement de l'euthanasie !

L'idée qu'il soit légitime, d'un point de vue moral, de cesser ou de ne pas entreprendre un traitement n'est pas nouvelle, bien que sa correspondance juridique ne soit incontestablement assurée que depuis peu. Le jugement du juge Dufour, dans l'affaire Nancy B., a écarté les doutes qui pouvaient subsister à ce sujet. Du point de vue moral, l'idée était traditionnellement traduite par la notion de « moyens ordinaires ». La distinction entre les « moyens ordinaires » et les « moyens extraordinaires » trace la frontière de l'obligation morale. Il n'est pas inutile de relire attentivement le texte par lequel Pie XII se fit le promoteur moderne de cette distinction. « La raison naturelle et la morale chrétienne disent que l'homme (et quiconque est chargé de prendre soin de son semblable) a le droit et le devoir en cas de maladie grave, de prendre les soins nécessaires pour conserver la vie et la santé. (…) Mais, il n'oblige habituellement qu'à l'emploi des moyens ordinaires (suivant les circonstances de personnes, de lieux, d'époques, de culture), c'est-à-dire des moyens qui n'imposent aucune charge extraordinaire[2] pour soi-même ou pour un autre. Une obligation plus sévère serait trop lourde pour la plupart des hommes (…)[3]. »

Il faut observer deux éléments essentiels dans ce texte. D'abord, Pie XII envisage la question dans la perspective des devoirs et non des droits. La question à laquelle il entend répondre est celle de l'extension de notre devoir de préserver la vie. La confrontation au réel de nos possibilités concrètes et des circonstances particulières fait en sorte que la rhétorique selon laquelle il faudrait tout faire pour préserver la vie doit être abandonnée au profit d'une règle adaptée aux possibilités limitées de la nature humaine. Ensuite, il faut noter que, contrairement à une interprétation qui s'était imposée dans l'esprit de plusieurs, Pie XII ne prétend pas qu'il soit possible de distinguer des moyens qui seraient, en eux-mêmes, ordinaires de moyens qui seraient, en eux-mêmes, extraordinaires. L'adjectif « extraordinaire » qualifie, en effet, la charge portée par la personne, par son entourage, par la société ! Quand on considère le contenu de la parenthèse « suivant les circonstances de personnes, de lieux, d'époques, de culture », force est d'admettre que l'on est aux antipodes d'une classification abstraite des moyens. La distinction des moyens ordinaires et extraordinaires, telle qu'elle a été formulée par Pie XII, faisait donc appel à une contextualisation et une individualisation de la décision morale. Elle exigeait un examen attentif des situations toujours particulières et impliquait que ce qui est ordinaire pour l'un, et donc moralement exigible, soit extraordinaire pour un autre et donc laissé à sa discrétion. Devant la dérive du sens de la distinction traditionnelle, l'enseignement officiel catholique préfère aujourd'hui parler de proportionnalité. Cette notion permet de se distancier de la dérive objectiviste subie par la distinction de l'ordinaire et de l'extraordinaire.

L'examen du texte de Pie XII ne doit pas induire en erreur en laissant croire que c'est à son époque que l'on a reconnu au sein de l'Église catholique qu'il était légitime de cesser ou de ne pas entreprendre un traitement. De fait, selon John Collins Harvey[4], c'est le dominicain Dominique Bañez qui introduisit les termes de la distinction en 1595. Ajoutons enfin que la conviction morale à ce sujet a certainement précédé de loin les concepts qui visent à en baliser les applications.

La signification de cet acquis de la réflexion morale est aujourd'hui mise en cause par les partisans de l'euthanasie. Ceux-ci prétendent, en effet, qu'il n'y a pas de différence significative entre ces pratiques et l'euthanasie puisque, dans tous les cas, la résultante des décisions prises est la mort du patient. La même contestation vise une autre question au sujet de laquelle Pie XII joua un rôle important : c'est celle de l'usage de la morphine. Il eut en effet à répondre à une série d'interrogations morales soulevées par la Société italienne d'anesthésiologie[5]. Parmi ces questions, on trouvait celle de la légitimité de l'usage des narcotiques quand la dose nécessaire pour soulager efficacement la douleur risquerait de hâter la mort[6]. Pie XII répondait dans l'affirmative en s'appuyant sur la doctrine du double effet. C'est pour répondre aux interrogations morales concernant la légitime défense que Thomas d'Aquin y fit d'abord appel. Son développement est éclairant et on ne peut sous-estimer l'influence considérable de Thomas D'Aquin et de ses successeurs sur les traditions morale et juridique occidentale.

« Rien n'empêche qu'un même acte ait deux effets, dont l'un seulement est voulu, tandis que l'autre ne l'est pas. Or les actes moraux reçoivent leur spécification de l'objet que l'on a en vue, mais non de ce qui reste en dehors de l'intention, et demeure, comme nous l'avons dit accidentel à l'acte. Ainsi, l'action de se défendre peut entraîner un double effet : l'un est la conservation de sa propre vie, l'autre la mort de l'agresseur. Une telle action sera donc licite si l'on ne vise qu'à protéger sa vie, puisqu'il est naturel à un être de se maintenir dans l'existence autant qu'il le peut[7]. »

Les moralistes des générations suivantes en précisèrent les conditions d'application et la signification exacte, mais il n'en demeure pas moins que ce principe joue, depuis sept siècles, un rôle déterminant dans l'analyse de l'action humaine. Il ne retient pas comme déterminant ultime de la moralité de l'acte les effets concrets de la décision morale, mais ce qui est visé par l'intention de celui qui agit. L'évaluation est donc rendue plus difficile, car il n'est pas toujours aisé de saisir l'intention de celui qui agit ; mais une telle approche marque un pas considérable vers une conception de plus en plus intériorisée de la moralité.

Le débat sur l'euthanasie ou le marécage conceptuel

Venons-en maintenant à l'euthanasie. Nous l'avons mentionné plus haut, des auteurs contestent aujourd'hui la validité de la distinction entre l'abstention de traitement ou la cessation de traitement et l'euthanasie. Le cœur de cette contestation est le soupçon dont est l'objet la notion d'intention. Cette notion, nous venons de le montrer, est centrale dans la réflexion morale depuis des siècles ; ajoutons qu'elle l'est également dans le droit (le droit criminel en particulier). N'est-ce pas précisément la *mens rea*, ou pour le dire en français « l'intention criminelle », qui doit être établie dans un procès si l'on veut obtenir une condamnation ? Le fait que la notion d'intention soit subtile et qu'il ne soit pas facile pour un néophyte de distinguer le motif de l'intention nous semble une raison bien légère pour tourner le dos à une catégorie si importante.

À la décharge des protagonistes actuels du débat, il faut bien admettre que la discussion sur l'euthanasie fait usage depuis longtemps d'un vocabulaire tout à fait contre-intuitif. Pensons, par exemple, à l'expression *euthanasie passive* qui désignait autrefois les pratiques que l'on désigne aujourd'hui comme des cessations ou des interruptions de traitements. L'expression donne à penser, par l'introduction du terme *passif*, que c'est la modalité de l'action qui en détermine la moralité. Comme si toute abstention était justifiée moralement alors que l'on sait bien que, dans des circonstances déterminées, il est tout à fait obligatoire d'agir. De façon symétrique, l'expression *euthanasie active* donne à penser que l'euthanasie consiste toujours en la commission d'un acte. Encore une fois, on se rabat sur la modalité de l'action.

Si, par contre, on considère l'intention, les choses deviennent conceptuellement beaucoup plus claires. Ce qui détermine l'euthanasie, c'est l'intention de provoquer la mort, que cette intention se matérialise par un acte positif ou par une abstention.

Des conceptions multiples de la bonne mort

Ces clarifications conceptuelles étaient nécessaires, mais elles n'épuisent pas le débat, loin de là. Quand un débat s'enlise perpétuellement dans des querelles à propos de concepts sans cesse en redéfinition, on est en droit de s'interroger sur les véritables enjeux. Peut-être faudrait-il revenir à la charge et, cette fois, s'interroger sur les conceptions de la bonne vie et, donc, de la bonne mort qui animent les principaux protagonistes. Nous y trouverions, sans doute, des définitions fort diverses d'un concept qui est devenu dans le débat un argument péremptoire : celui de dignité humaine.

1. Derek Doyle, Geoffrey W.C. Hanks, Neil MacDonald éd., Oxford University Press, Oxford, New York Tokyo, 1998.

2. Nous soulignons.

3. *Discours sur les problèmes de la réanimation*, 24 novembre 1957, Documents pontificaux de Sa Sainteté Pie XII, Éditions Saint-Augustin, Saint-Maurice, 1958.

4. *The Morality of Withdrawing or Withholding Food and Fluid Administered Artificially to the Individual in the Persistent Vegetative state from the Roman Catholic Perspective.* St-Mary Seminary and University, Baltimore, 1988.

5. *Discours à des médecins sur les problèmes moraux de l'analgésie*, 24 février 1957, Documents pontificaux de Sa Sainteté Pie XII, Éditions Saint-Augustin, Saint-Maurice, 1958.

6. Il importe peu ici de savoir si cette crainte est fondée ou non. C'est une autre question.

7. Somme théologique, II-IIae, q. 64, art. 7.

Volume 1 • Numéro 1 • Automne 1999

Serge Dumont, Ph. D. • École de service social • Faculté des sciences sociales • Pavillon Charles-De-Koninck • Université Laval • Québec • G1K 7P4 •
Courriel : serge.dumont.@svs.ulaval.ca

S. Robin Cohen, Ph. D. • Département d'oncologie • Université McGill • Montréal
Courriel : mcob@musica.mcgill.ca

Regard sur la recherche en soins palliatifs au Québec

Serge Dumont, Ph. D.
S. Robin Cohen, Ph. D.

Les soins palliatifs ont pour premier objectif d'assurer la meilleure qualité de vie possible au malade et à sa famille. Selon l'Organisation mondiale de la santé, les soins palliatifs visent à calmer la douleur et les autres symptômes pénibles ; ils intègrent le soutien psychologique, social et spirituel aux soins du malade ; ils l'aident à mener une vie aussi active que possible et ils apportent le réconfort à la famille pendant la maladie et le deuil.

Bien inscrit dans la philosophie des soins palliatifs, le développement de la recherche dans ce domaine s'est principalement intéressé à l'étude des facteurs susceptibles d'affecter la qualité de vie du malade et des proches qui l'accompagnent tout au long de la phase palliative de sa maladie (Vachon et al., 1995 ; Stewart et al., 1999).

Le contrôle des principaux symptômes cliniques dont les manifestations menacent la qualité de vie du malade et de ses proches constitue le premier groupe de facteurs. Il s'agit principalement de la douleur, de la dyspnée, du délirium, des nausées sévères et des troubles gastro-intestinaux.

Un deuxième groupe de facteurs concerne la structure et le processus d'accès à des services d'aide et de soins. Il est question ici de l'organisation concrète de l'ensemble des services de soins physiques, de l'aide à domicile, de l'information, du soutien psychologique et spirituel pour le malade et ses proches. Dans cette foulée, on y retrouve des initiatives reliées au développement et à l'évaluation de stratégies d'intervention novatrices et spécifiques concernant le suivi des malades et le soutien aux proches qui les accompagnent.

Enfin, l'environnement social immédiat du malade est d'emblée reconnu comme jouant un rôle déterminant de la qualité de vie. Il est surtout question ici du fonctionnement familial et du soutien social accordé au malade ainsi qu'aux membres de sa famille.

Puisque les pratiques cliniques dans le domaine des soins palliatifs connaissent un développement considérable, la recherche évaluative y occupe une fonction importante. Les priorités de recherche sont, entre autres, le développement d'instruments de mesure capables d'évaluer l'efficacité du contrôle des symptômes (douleurs, dyspnée, délirium, etc.), la qualité de la réponse aux besoins du malade et de ses proches, le fardeau émotionnel ressenti par les proches et enfin, plus globalement, la qualité de vie du malade et de sa famille. Il s'agit d'un ensemble d'indicateurs dont la fonction est double, soit d'une part, favoriser une meilleure compréhension des phénomènes étudiés et d'autre part, évaluer les progrès réalisés au chapitre de la qualité des soins et des services auprès de la clientèle.

Au Québec, les soins palliatifs se sont progressivement implantés au cours des vingt-cinq dernières années. Le développement des soins a introduit la nécessité d'assurer parallèlement le développement des connaissances scientifiques dans ce qui est progressivement devenu un nouveau champ de pratique pour de nombreux professionnels de la santé. Ainsi, au Québec, depuis environ une quinzaine d'années tout au plus, nous assistons à l'émergence d'un effort de recherche pluridisciplinaire.

Afin de rendre compte du développement de la recherche en soins palliatifs au Québec, le présent article propose une brève présentation des activités scientifiques réalisées par les deux principaux regroupements de chercheurs spécialisés dans ce domaine. Il s'agit de l'Équipe de recherche de La Maison Michel Sarrazin et les chercheurs associés au groupe Soins palliatifs McGill de l'université du même nom. L'ambition n'est pas ici de répertorier l'ensemble des travaux de recherche réalisés dans le domaine des soins palliatifs au Québec ainsi que dans les secteurs connexes, comme la bioéthique, la pharmacologie et tant d'autres. En effet, il existe de nombreuses initiatives à caractère scientifique dans les différentes régions du Québec dont le présent article ne peut faire état.

L'équipe de recherche de La Maison Michel Sarrazin

L'Équipe de recherche de La Maison Michel Sarrazin est composée de trois chercheurs de l'Université Laval. Le Dr Pierre Allard, professeur au Département de médecine sociale et préventive de la Faculté de médecine et membre de l'équipe médicale de La Maison Michel Sarrazin, assume la direction scientifique de l'équipe. Le Dr Serge Dumont est travailleur social et professeur à l'École de service social de la Faculté des sciences sociales. Le Dr Pierre Gagnon est psychiatre spécialisé en psycho-oncologie et membre du Département de psychiatrie du Centre hospitalier universitaire de Québec.

Le programme de recherche poursuivi par l'Équipe de recherche de La Maison Michel Sarrazin s'intitule : L'allégement du fardeau en phase terminale de cancer : aspects cliniques et psychosociaux.

Dans le cadre du volet clinique, le Dr Allard développe un instrument qui aidera les médecins à faire une estimation plus précise du pronostic vital de leurs malades. Un tel instrument vise à améliorer la planification des soins aux malades et l'identification des objectifs prioritaires d'intervention. Une banque informatisée de données cliniques a été constituée à partir des dossiers médicaux des patients décédés à La Maison Michel Sarrazin. Les symptômes et signes physiques qui influencent la durée de vie ont ainsi été identifiés et cela a conduit au développement d'un logiciel de prédiction du pronostic de vie. Grâce à une interrogation automatique de la banque de données, le médecin pourra savoir combien de patients ont eu, dans le passé, une combinaison identique ou similaire de facteurs qui influencent la durée de vie. Le médecin pourra ainsi mieux préciser le profil d'évolution clinique le plus susceptible de se matérialiser, compte tenu de ce qui a été observé auparavant chez des patients comparables.

Toujours dans le but d'améliorer les soins au malade, l'Équipe de recherche de La Maison Michel Sarrazin s'intéresse aux troubles confusionnels aigus (que l'on désigne sous le terme *délirium*). Il s'agit d'une complication fréquente chez les malades en phase terminale de cancer. Les manifestations du délirium sont lourdes de conséquences pour le malade et pour ses proches. Il s'agit néanmoins d'une condition potentiellement réversible, même en phase terminale de cancer, à condition qu'elle soit détectée et traitée précocement. Une étude pilote réalisée par les Drs Gagnon et Allard a conduit à la mise en place d'un système intégré de dépistage, de diagnostic précoce et de suivi du délirium à La Maison Michel Sarrazin. Une première retombée de ces travaux est la recension d'informations de base sur l'épidémiologie clinique du délirium. Une étude de plus grande envergure est en préparation pour documenter de façon plus précise les facteurs de risque du délirium ainsi que les facteurs qui déterminent le pronostic et son évolution clinique. Parallèlement, un programme d'intervention éducative visant à donner un meilleur soutien aux proches confrontés à des manifestations de délirium chez le malade qu'ils accompagnent est en cours de développement et d'expérimentation.

Le volet psychosocial de la programmation de recherche s'intéresse plus particulièrement à l'expérience des proches qui accompagnent un malade en fin de vie et qui sont communément appelés « aidants naturels ». Avec ses collègues, le Dr Dumont travaille à la mise au point d'un instrument devant permettre de mesurer le fardeau psychologique et émotionnel ressenti par ces aidants. La disponibilité d'un tel instrument permettra d'évaluer dans quelle mesure des stratégies d'intervention sont réellement efficaces pour alléger le fardeau vécu par les proches. Il permettra aussi aux intervenants de première ligne d'identifier plus rapidement les aidants naturels à risque de détresse psychologique ou d'épuisement et d'ajuster l'offre de service. Une étude qualitative réalisée auprès d'aidants naturels a permis aux chercheurs de mieux comprendre leur expérience d'accompagnement et l'analyse systématique de leur discours a conduit à un repérage sémantique où les expressions langagières spécifiquement reliées à l'expérience du fardeau ressenti ont été répertoriées. Ce matériel a permis l'élaboration d'une première version de l'instrument identifié sous le nom de Mesure du degré de difficulté ressentie par l'aidant (MDDRA). On vérifie actuellement ses qualités psychométriques.

Toujours en lien avec l'expérience des proches, l'Équipe de recherche de La Maison Michel Sarrazin s'est engagée, sous la direction du Dr Dumont, dans un projet de recherche qui permettra de mieux comprendre l'interaction entre les principaux facteurs reliés à la détresse psychologique vécue par des proches qui accompagnent un malade tout au long de la phase terminale de sa maladie. Il s'agit d'une étude longitudinale effectuée en collaboration avec l'Unité de médecine familiale de l'Hôpital Laval et les CLSC de la région de Québec. Elle sera réalisée auprès de 150 familles qui accompagnent un malade en fin de vie.

Les travaux des chercheurs de La Maison Michel Sarrazin sont subventionnés par le Fonds de recherche en santé du Québec (FRSQ), le Conseil québécois de la recherche sociale (CQRS) et l'Institut national du cancer du Canada (INCC).

Soins palliatifs McGill

Soins palliatifs McGill comprend l'ensemble des services de soins palliatifs offerts dans cinq hôpitaux de la région de Montréal[1]. La direction de la recherche scientifique est assurée par la Dre Robin Cohen, psychologue et professeure-associée au Département d'oncologie à l'Université McGill et chercheure au Département de médecine du Centre universitaire de santé McGill (CUSM). Plusieurs chercheurs sont associés à Soins palliatifs McGill et leurs travaux de recherche s'intéressent à divers aspects de l'expérience des malades en fin de vie ainsi qu'à leur famille.

La Dre Cohen est directrice du Centre satellite du Québec du Réseau de recherche socio-comportementale (RRSC) de l'Institut national du cancer du Canada (INCC). Avec des collaborateurs de ce réseau, elle travaille à l'élaboration de questionnaires visant à mesurer la qualité de vie des patients et des aidants naturels qui les accompagnent. Toujours en collaboration avec des collègues membres du RRSC, elle a amorcé une étude sur les facteurs de prédiction de la qualité du fonctionnement familial, de la satisfaction à l'égard des soins et de la santé des aidants naturels. En partenariat avec la Régie régionale de la santé et des services sociaux de Montréal-Centre, la Dre Cohen et ses collègues au CUSM ont entrepris une recherche dans le but d'évaluer un projet pilote visant la mise en place d'un continuum intégré de soins palliatifs du domicile à l'hôpital. En association avec le RRSC et le groupe des essais cliniques (GEC) de l'INCC, la Dre Cohen et ses collègues du CUSM travaillent à la mise au point d'un système de classification pour la douleur cancéreuse.

Les docteurs Bruno Gagnon et Marian Fundytus travaillent à l'élaboration et à la validation d'approches novatrices pour améliorer le contrôle de la douleur chez les malades atteints de cancer avancé. Les docteurs Neil MacDonald, Bruno Gagnon et Sandra Legault du CUSM travaillent au développement d'une pharmacothérapie susceptible d'améliorer la condition des malades souffrant d'anorexie-cachexie.

La Dre Pauline Lavoie, pour sa part, dirige une étude sur la stabilité des mixtures de certains médicaments fréquemment utilisés de façon combinée dans des pousse-seringues afin de contrôler la douleur, la nausée et l'agitation.

La Dre Anna Towers, en association avec le RRSC, a amorcé une étude qui s'intéresse à la communication entre les médecins de famille et les oncologues dans le suivi des patients atteints de cancer. Elle est aussi engagée dans la rédaction d'un manuel qui rapporte un ensemble de récits de vie recueillis dans le cadre d'une étude qualitative menée auprès de malades en fin de vie.

Les docteurs Towers et MacDonald étudient les enjeux éthiques reliés au domaine des soins palliatifs du point de vue non seulement des intervenants, mais aussi de celui des malades et des membres de leur famille. De façon plus particulière, le Dr MacDonald s'intéresse au point de vue des bénévoles sur la question de l'euthanasie.

Parmi les projets de recherche qui seront sous peu à l'agenda des chercheurs associés à Soins palliatifs McGill, il est intéressant de noter que le Dr Sylvain Néron et ses collègues se proposent de mettre à l'essai une intervention éducative dans le but d'aider les aidants naturels a résoudre des problèmes reliés aux soins et à l'accompagnement d'un malade en fin de vie. Enfin, les docteurs Balfour Mount et Patricia Boston se proposent de mettre sur pied un centre de recherche et d'enseignement, voué à la personne humaine dans sa perspective globale, qui portera une attention toute particulière à la dimension spirituelle de son expérience.

Le financement des activités de recherche réalisées par le regroupement des chercheurs de Soins palliatifs McGill provient de nombreuses sources : le Fonds de recherche en santé du Québec (FRSQ), le Conseil de la recherche médicale du Canada (CRM), le Conseil de la recherche en sciences humaines du Canada (CRSH), l'Institut national du cancer du Canada (INCC), le Fonds pour l'adaptation des services de santé, le projet Death in America et le Barclay Family Endowment Fund.

Conclusion

La recherche en soins palliatifs au Québec est en émergence. Ce bref regard sur les recherches en cours témoigne néanmoins de son dynamisme et de son originalité. Il s'agit d'un domaine de recherche qui présente des difficultés particulières du fait qu'il s'intéresse à des personnes vulnérables et qu'il soulève un certain nombre d'enjeux éthiques. Les modèles expérimentaux classiques doivent être adaptés à la réalité particulière des personnes mourantes et de leurs proches (Byock, 1999). Le défi est grand pour le clinicien-chercheur qui s'investit dans une relation chaleureuse et signifiante avec un malade qui est aussi l'objet de ses investigations scientifiques. Enfin, la recherche empirique est habituellement fondée sur la mesure objective des phénomènes. Or, dans les soins de fin de vie, la globalité de l'expérience de la personne, son caractère essentiellement multiréférentiel exigent une incontournable reconnaissance des limites inhérentes à tout processus expérimental visant à objectiver le réel.

Références

Byock, IR. « Conceptual models and the outcomes of caring. » *Journal of Pain and Symptom Management*, 1995 ; 17 : 83-92.

Stewart, AL, Teno J, Patrick DL, Lynn J. « The concept of quality of life of dying persons in the context of health care. » *Journal of Pain and Symptom Management*, 1999 ; 17 : 93-108.

Vachon, MLS, Kristjanson L, Higginson I. « Psychosocial issues in palliative care : The patient, the family and the process and outcome of care. » *Journal of Pain and Symptom Management*, 1995 ; 10 : 142-150.

Listes des chercheures et des chercheurs mentionnés

ROBIN COHEN, Ph. D., psychologue

Soins palliatifs McGill, Ross 6.10
Centre universitaire de santé McGill
Site Hôpital Royal Victoria
687, avenue des Pins Ouest
Montréal (Québec) H3A 1A1

mcob@musica.mcgill.ca

SERGE DUMONT, Ph. D., travailleur social

École de service social
Faculté des sciences sociales
Pavillon Charles-De-Koninck
Université Laval,
Québec (Québec) G1K 7P4

serge.dumont@svs.ulaval.ca

PIERRE ALLARD, Ph. D.,

Maison Michel Sarrazin
2101, chemin Saint-Louis
Sillery (Québec) G1T 1P5

pierre.allard@gre.ulaval.ca

PIERRE GAGNON, M.D., CHUQ,

Pavillon Hôtel-Dieu de Québec
Département de psychiatrie
11, Côte du Palais
Québec (Québec) G1R 2J6

pierre.gagnon@crhdq.ulaval.ca

SYLVAIN NÉRON, Ph. D., psychologue

Dép. de psychologie, suite A543
Hôpital Général juif S.M.B.D.
3755, rue de la Côte Ste-Catherine
Montréal (Québec) H3T 1E2

mdsn@musica.mcgill.ca

BRUNO GAGNON, M.D.,

Service de soins palliatifs
Centre universitaire de santé McGill
Site Hôpital Général de Montréal
1650, avenue Cedar
Montréal (Québec) H3G 1A4

brunogagnon@compuserve.com

SANDRA LEGAULT, M.D.,

Service de soins palliatifs
Centre universitaire de santé
McGill, site Hôpital Général
de Montréal
1650, avenue Cedar
Montréal (Québec) H3G 1A4

NEIL MACDONALD, M.D.,

Centre de Bioéthique
Institut de recherches cliniques
de Montréal
110, avenue des Pins Ouest
Montréal (Québec) H2W 1R7

macdonn@ircm.umontreal.ca

MARIAN FUNDYTUS, Ph. D., psychologue

Soins palliatifs McGill, Ross 6.10
Centre universitaire de santé McGill
Site Hôpital Royal Victoria
687, avenue des Pins Ouest
Montréal (Québec) H3A 1A1

PAULINE LAVOIE, M.D.,

Soins palliatifs McGill, Ross 6.10
Centre universitaire de santé McGill
Site Hôpital Royal Victoria
687, avenue des Pins Ouest
Montréal (Québec) H3A 1A1

lavoie@rvhpcs.lan.mcgill.ca

ANNA TOWERS, M.D.,

Soins palliatifs McGill, Ross 6.10
Centre universitaire de santé
McGill, site Hôpital Royal Victoria
687, avenue des Pins Ouest
Montréal (Québec) H3A 1A1

towers@rvhpcs.lan.mcgill.ca

BALFOUR MOUNT, M.D.,

Soins palliatifs McGill, Ross 6.10
Centre universitaire de santé McGill
Site Hôpital Royal Victoria
687, avenue des Pins Ouest
Montréal (Québec) H3A 1A1

mount@rvhpcs.lan.mcgill.ca

PATRICIA BOSTON, Ph. D., infirmière

Soins palliatifs McGill, Ross 6.10
Centre universitaire de santé
McGill, site Hôpital Royal Victoria
687, avenue des Pins Ouest
Montréal (Québec) H3A 1A1

czbo@musica.mcgill.ca

1. Il s'agit du Centre universitaire de santé McGill (sites : Hôpital de Montréal pour les enfants, Hôpital Général de Montréal, Hôpital Royal Victoria), l'Hôpital Général Juif SMBD, l'Hôpital St. Mary's, le Centre hospitalier Mount Sinaï et le Centre hospitalier Notre-Dame de la Merci.

Volume 1 • Numéro 1 • Automne 1999

Nicole Rousseau,Ph. D. • Bénévole aux soins •
La Maison Michel Sarrazin • Sillery • Québec •
Faculté des sciences infirmières • Université Laval • Sainte-Foy •
Québec • G1K 7P4 •
Courriel : nicole.rousseau@fsi.ulaval.ca

Louise Bernard • Responsable des bénévoles aux soins •
La Maison Michel Sarrazin • Sillery • Québec •
Courriel : soins@lmms.qc.ca

Nouveau visage du bénévolat, nouveaux défis en soins palliatifs

Nicole Rousseau, Bénévole aux soins à La Maison Michel Sarrazin
Louise Bernard, Responsable des bénévoles aux soins
à La Maison Michel Sarrazin

Mount (1992) situe la naissance du mouvement des soins palliatifs en Amérique du nord au milieu des années 1970. Dès le début, le bénévolat y a joué un rôle central et il était assumé principalement par des femmes mariées qui n'occupaient pas d'emploi, sans être pour autant inoccupées ! Pendant vingt ans, bénévolat et soins palliatifs ont évolué de pair sans susciter grand intérêt chez les chercheurs ou auprès des différents paliers de gouvernement. Au cours des cinq dernières années cependant, le tableau de ces deux réalités a tellement changé que quatre études majeures s'y rapportant plus ou moins directement ont paru en 1998 seulement (AFÉAS et coll., 1998 ; Bowen et coll., 1998 ; LaPerrière, 1998 ; Robichaud, 1998). Les résultats de ces études, combinés aux données sur le vieillissement de la population canadienne recueillies lors du dernier recensement (Statistique Canada, 1997), aux projections des démographes (Légaré et Martel, 1996) et à quelques constatations des gens de terrain invitent à envisager des transformations importantes du bénévolat. Cette mutation pourrait compromettre l'atteinte de certains objectifs en soins palliatifs si l'on perd de vue l'essentiel de l'approche et si l'on n'arrive pas à demeurer créatif pour faire face aux nouveaux défis malgré la tourmente.

Le sujet étant vaste et l'espace restreint, nous avons choisi, dans un survol de la situation à La Maison Michel Sarrazin (MMS) et ailleurs, de nous concentrer d'abord sur certains aspects pratiques qui devraient intéresser les bénévoles potentiels, les gestionnaires de ressources bénévoles et les professionnels qui travaillent avec des bénévoles. Nous commencerons par définir le bénévolat et le rôle des bénévoles en soins palliatifs avant de décrire comment ces concepts se traduisent dans les tâches concrètes et la gestion quotidienne. Nous donnerons ensuite un aperçu des caractéristiques des bénévoles et des critères de sélection utilisés pour les choisir avant de parler brièvement de la formation et de l'encadrement. Nous terminerons cette première partie par une brève discussion de leur motivation et de la satisfaction que ce travail leur procure. Dans la seconde partie, nous avons voulu amorcer une réflexion à caractère théorique, inspirée de l'action, en donnant un aperçu des changements déjà perceptibles ou prévisibles et des défis à relever.

Aperçu de la situation actuelle

Définition du bénévolat et rôle des bénévoles

Commençons par deux définitions pragmatiques du terme *bénévoles* : personnes « qui acceptent de plein gré de fournir un service sans rémunération par l'entremise d'un groupe ou d'un organisme » (Bowen et coll., 1998, p. 53) ; « une personne dont le travail n'est pas rémunéré et qui choisit de se dévouer pour le bien d'autrui, au service de la collectivité ou pour une cause dans laquelle il ou elle croit » (LaPerrière, 1998, p. 2).

Comme nous souhaitons dépasser un peu le niveau des pâquerettes, nous préférons nous laisser guider par Godbout (1994) qui soutient que la sphère d'action du bénévolat « est bornée, d'une part, par la sphère domestique (...), par le marché et l'État de l'autre » (p. 143). Il ajoute qu'il existe une différence essentielle entre le bénévolat et ce qui circule dans la sphère domestique : « le bénévolat est un don à un étranger » (Godbout, 1994, p. 145). Dans cette perspective, une bénévole a décrit son émerveillement devant la générosité d'une dame accompagnant avec un dévouement exceptionnel une mourante qui n'était que sa voisine (Bélanger, 1999). Toujours selon Godbout (1994), les organisations bénévoles « contribuent à une détection précoce des problèmes », « trouvent des solutions *ad hoc*, qu'elles appliquent rapidement »,

« fonctionnent à un coût inférieur pour la société », détiennent « une compétence spécifique, et supérieure souvent à celle des professionnels, dans plusieurs domaines qui relèvent du lien avec la personne aidée », et « vont au-delà du symptôme en modifiant les valeurs des personnes » (p. 146). Enfin, il soutient « qu'un apport essentiel du bénévolat réside chez les bénévoles eux-mêmes. Nombre d'entre eux retrouvent un sens à leur vie et une insertion dans la société : personnes à la retraite ou sans emploi, certes, mais souvent même des professionnels dont le travail au sein des structures bureaucratiques a perdu toute signification » (p. 146).

En soins palliatifs, le rôle des bénévoles est associé au *caring* (Brazil and Thomas, 1995 ; Mount, 1992), un concept qui a fait l'objet d'innombrables publications en soins infirmiers et dont voici un exemple. Une patiente souffrant d'un cancer intestinal, dont l'état se détériore depuis près de deux mois à la MMS, demande régulièrement un filet mignon aux repas, une gâterie qui est en train de prendre des allures de banale routine. Un jour, une bénévole prend une rose dans un vase du salon de la Maison et la dépose dans le plateau de madame avant de l'apporter à la chambre, une délicatesse qui émerveille la malade pourtant devenue plutôt dépressive au fil des semaines. Par *caring*, on entend généralement une façon d'être, un engagement, une présence bienveillante, une capacité d'écoute et de compassion, un respect du caractère unique de chaque personne et de son besoin d'autonomie ; le toucher réconfortant est également inclus dans les dimensions du *caring* (Morse et coll., 1991). Une autre anecdote permet d'illustrer cette dernière dimension du *caring*. Après plusieurs années, une bénévole âgée raconte, encore avec émotion, qu'un jour elle avait parmi « ses » malades un célibataire âgé nouvellement admis ; éprouvant un soudain besoin d'exprimer de la tendresse à cet homme, elle lui donne spontanément un baiser sur le front et s'en excuse immédiatement, un peu confuse. Le malade s'empresse de la rassurer en lui disant : « Si vous saviez comme ça fait longtemps qu'on ne m'a pas embrassé ! »

Les différentes formes du *caring* des bénévoles peuvent se manifester en pastorale, à l'intérieur même d'une unité de soins palliatifs, à domicile et en suivi de deuil (Gibson, 1995 ; Lalonde, 1993 ; Lehmann, 1993). La disponibilité de bénévoles permet également des initiatives qui seraient autrement difficilement réalisables. Ainsi, Storey (1994) rapporte qu'en Nouvelle-Zélande, un animateur de radio et historien oral a conçu, en collaboration avec un journaliste, un projet consistant à faire réaliser l'histoire de vie de malades en centres d'accueil par des bénévoles formés à cette fin. Selon les concepteurs du projet, les résultats obtenus sur la qualité de la fin de vie des malades seraient remarquables. Nous croyons que les bénévoles peuvent également constituer une formidable source de renouveau des pratiques, car elles[1] risquent moins que les professionnels d'être inhibées par les cadres théoriques guidant, parfois de façon un peu trop dogmatique, les interventions professionnelles ; en ce sens, elles sont peut-être les mieux placées pour contribuer à « déprofessionnaliser » la mort à travers leurs gestes quotidiens.

Tâches et gestion du quotidien

Le rôle des bénévoles en soins palliatifs prend forme dans une multitude de tâches, modestes pour la plupart, dont la nature varie en fonction d'un ensemble de facteurs : présence ou non d'employés syndiqués, participation plus ou moins intense des proches du mourant, complicité plus ou moins grande des professionnels, qualité de la formation et de l'encadrement offerts, impression de la part des bénévoles de se sentir ou non membres de l'équipe. Par conséquent, il est illusoire de vouloir décrire l'ensemble des tâches possibles. Nous nous limiterons donc à résumer celles des bénévoles de la MMS, un milieu où il n'y a pas d'employés syndiqués.

Il convient d'abord de préciser qu'à la MMS chaque bénévole est jumelée à une infirmière ou un infirmier responsable d'un nombre variable de malades et seconde donc le personnel infirmier dans l'administration des soins. Les bénévoles font normalement un quart de jour (8 h à 16 h) ou un quart de soir (16 h à 22 h) par semaine, ce qui est plus que les heures rapportées par d'autres auteurs (plutôt trois ou quatre heures par semaine) pour du bénévolat analogue (Brazil and Thomas, 1995 ; Robichaud, 1998). Comme dans les autres milieux de soins palliatifs, les bénévoles de la MMS sont disponibles toute l'année, incluant Noël et Pâques ; il arrive assez souvent, surtout l'été, que des personnes fassent plus d'un quart de travail dans une semaine. Une telle disponibilité est bien supérieure au nombre moyen d'heures consenties pour toute l'année 1997 (149 heures) par les bénévoles au Canada (Bowen, 1998) et crée des attentes de la part du personnel infirmier qui a appris à compter sur cette ressource. À la MMS, les tâches sont variées : elles vont des soins d'hygiène aux malades (la bénévole étant seule ou en compagnie de l'infirmière) au service du thé en après-midi, en passant par le nettoyage du bain thérapeutique après usage et l'assistance aux malades incapables de manger seuls. Un des aspects les plus exigeants mais aussi les plus valorisants de ce travail consiste à « répondre aux cloches » ; ce sont en effet les bénévoles qui répondent aux appels des malades ou de leurs proches. Il s'agit d'un travail de filtrage des demandes, puisque les bénévoles doivent juger si le besoin exprimé requiert les services d'un professionnel ou non. Les situations rencontrées varient d'une demande de médicament pour soulager une douleur (demande transmise au personnel infirmier) à une demande pour sortir sur la terrasse (demande prise en charge par les bénévoles), en passant par une demande d'aide pour aller aux toilettes ou pour une simple présence. Il arrive que, dans ce contexte, la bénévole soit la première à arriver à la chambre après le décès d'un malade, en réponse à l'appel d'un proche présent au moment même du décès. On peut imaginer ce que certaines de ces tâches comportent de charge émotive.

Au fil des ans, deux outils ont été développés pour aider les bénévoles à accomplir leur travail : un dossier sommaire de chaque malade qui est tenu à jour par les bénévoles et une feuille de route dont un exemple est reproduit à la page suivante dans son format réel. Cet outil, résultat de plusieurs années d'essais de diverses formules, convient au contexte de la MMS et pas nécessairement à d'autres milieux. Nous ne saurions trop insister sur l'importance pour chaque équipe de créer des outils appropriés à ses besoins.

Cette feuille de route, en plus de donner la liste complète des quinze malades de la Maison, permet à la bénévole, qui répond à une cloche par exemple, de s'adresser à n'importe quel malade par son nom sans avoir jamais vu cette personne auparavant et de savoir rapidement à quelle infirmière communiquer une demande qui dépasse ses compétences. Le modèle tel que présenté ici peut donner à penser que la gestion quotidienne est simple et routinière, ce qui serait une erreur. Dans les faits, il n'y a pas toujours quinze malades et ceux-ci ne sont pas répartis également entre les infirmières en raison de leur état et des soins qu'ils demandent ; il y a régulièrement des ajouts d'infirmières stagiaires et de nouvelles bénévoles en apprentissage. La fréquence des décès oblige à de constants réaménagements des tâches et à des ajustements de la feuille de route qui se finalise souvent avant 8 h, le matin même.

Exemple d'une feuille de route des bénévoles aux soins de la MMS (noms fictifs)

Bonne journée !

Jour **Jeudi 8 avril 1999**

Ch	Patient	Infirmière
108	M. Rousseau	Danielle
109	Mme Tremblay	Danielle
111	Mme Côté	Danielle
112	M. Leblanc	Danielle
118	M. Lebrun	Gaétan
119	Mme Lachance	Gaétan
121	Mme Latendresse	Gaétan
122	M. Couture	Gaétan
127	M. Bernard	Geneviève
128	Mme Boucher	Geneviève
130	M. Durand	Geneviève
135	Mme Ferland	Geneviève
136	M. Morin	Lise
138	Mme Martel	Lise
139	M. Trudel	Lise

Bénévole	Infirmière
Nicole	Danielle
Marguerite	Gaétan
Claude	Geneviève
Pierrette	Lise

Caractéristiques des bénévoles et critères de sélection

Il y a actuellement 112[2] bénévoles aux soins à la MMS dont seulement 15 sont des hommes ; 42 de ces personnes sont sur le marché du travail à temps plein ou à temps partiel, 42 autres n'ont pas d'emploi, 23 sont retraitées et 5 sont étudiantes ou étudiants ; nous n'avons pas la moyenne d'âge, mais il s'agit généralement de gens dans la cinquantaine. Ce portrait ressemble à celui qui transparaît dans l'étude de Robichaud (1998) et à celui que décrivent Brazil et Thomas (1995) ; il projette, de la bénévole typique, une image dont il faut se méfier cependant. En effet, déjà en 1992, Mount soulignait que la bénévole américaine moyenne était une femme âgée entre 25 et 44 ans, professionnelle bien rémunérée avec une vie personnelle extrêmement occupée. Les données de l'Enquête nationale de 1997 sur le don, le bénévolat et la participation vont dans le même sens et révèlent une transformation importante des caractéristiques des bénévoles au Canada ; ce sont, beaucoup plus qu'auparavant, des jeunes travaillant à temps partiel et la proportion de femmes canadiennes qui font du bénévolat (33 %) n'est que légèrement supérieure à celle des hommes (29 %).

Les caractéristiques des bénévoles reflètent les critères utilisés pour les sélectionner. Pour travailler en soins palliatifs, on recherche une personne tolérante, empathique, fiable, flexible, mature, chaleureuse, délicate, discrète, capable de travailler en équipe et, non la moindre des qualités, possédant le sens de l'humour[3] (Brazil et Thomas, 1995 ; Mount, 1992 ; Vaillancourt, 1993). Jean-Pierre Ferland ne chante-t-il pas, dans *Le chat du café des artistes*, « Quand on ne rit plus, c'est qu'on ne vit plus » ? Pour évaluer les candidates et candidats potentiels, il arrive qu'on demande des références (Brazil et Thomas, 1995). L'entrevue de sélection est presque inévitable.

Formation et encadrement

Tous les auteurs s'entendent pour dire l'importance d'une formation de base suffisante, bien qu'il puisse y avoir une divergence d'opinions sur la nature et la quantité de la formation requise. Le modèle qui se dégage des publications consultées comprend une vingtaine d'heures de formation échelonnées sur six à huit semaines et des activités de formation continue offertes à intervalles réguliers. La formation peut mettre à contribution des professionnels de l'équipe, des bénévoles d'expérience, des conférenciers, des membres des familles et même des malades. Le contenu de ces formations est également assez homogène et peut comprendre :

a. un examen des réactions à la mort, aux maladies graves et à une expérience de deuil ;

b. une discussion de l'histoire et des composantes des soins palliatifs ;

c. le développement d'une capacité d'écoute et de communication ;

d. l'acquisition de certaines connaissances sur les maladies courantes, les modalités des traitements habituels, les urgences médicales, les soins physiques, les précautions à prendre avec les malades contagieux, les débats éthiques pertinents, les soins spirituels et les activités des bénévoles ;

e. une discussion du concept d'équipe et des rôles de ses membres professionnels et bénévoles (Brazil et Thomas, 1995 ; Fortier, 1993 ; Mount, 1992).

À la MMS, les nouvelles bénévoles doivent suivre une formation intensive d'une fin de semaine après avoir complété huit journées de bénévolat ; cette façon de procéder fait en sorte que la formation théorique est mieux assimilée. La formation continue consiste en une série de cinq ou six activités offertes annuellement et peut comprendre des formations ponctuelles données sur demande pour répondre à des besoins particuliers, telles que les techniques de mobilisation de malades.

Tout comme pour la formation, les auteurs sont unanimes à dire que l'encadrement, autre que la gestion du quotidien, est crucial. Il dépend beaucoup des gestionnaires des bénévoles, de leur disponibilité, de leur compétence et de leur sensibilité aux besoins exprimés ou non. À la MMS, les bénévoles bénéficient de la présence d'une coordonnatrice disponible sur place du lundi au vendredi et sur appel la fin de semaine. Elles peuvent également participer une fois par mois à une rencontre, animée généralement par une travailleuse sociale, qui permet le partage d'expériences et de préoccupations diverses. Ce type d'assistance existe aussi ailleurs (Brazil and Thomas, 1995 ; Vaillancourt, 1993), mais ne peut toutefois pas combler tous les besoins. Par exemple, un soir, une bénévole, qui avait accompagné une infirmière pour le changement du pansement d'une malade, avait été tellement bouleversée de voir l'atrocité de la plaie ainsi découverte qu'elle avait été incapable de retourner chez elle après sa soirée de bénévolat ; elle avait dû chercher écoute et réconfort chez des amis, heureusement disponibles à ce moment-là pour l'accueillir à l'improviste.

Motivation, engagement et satisfaction

La situation décrite précédemment conduit à se demander ce qui peut bien motiver une personne à choisir ce type de bénévolat. Nous distinguons ce qui motive les bénévoles initialement à offrir leurs services de ce qui les motive à poursuivre leur engagement. Selon Brazil et Thomas (1995), les deux principales raisons qui conduisent une personne à débuter un bénévolat en soins palliatifs sont un sentiment de compassion qui la pousse à vouloir aider les autres à faire face à l'agonie et à la mort ainsi qu'une expérience de deuil qu'elle a vécue. Parmi les autres facteurs de motivation, on note un désir de croissance personnelle et une préoccupation pour tout ce qui entoure la mort (Mount, 1992). À cela, Berthelot (1998) ajoute une motivation particulière aux bénévoles de Miels-Québec : « les liens privilégiés qu'il est possible de tisser » dans ce milieu de soins aux sidéens (p. 12).

Il faut en tout cas que la motivation soit forte pour entretenir l'engagement pris et maintenu par un grand nombre de bénévoles. L'engagement demandé par la plupart des organismes comprend une promesse de services pour un minimum d'un an à raison d'au moins trois heures par semaine, la participation à des activités de formation et, dans certains cas, l'acceptation de se soumettre à une forme quelconque d'évaluation. À la MMS, plusieurs bénévoles poursuivent leur engagement depuis plus de dix ans ! Si les bénévoles maintiennent pendant si longtemps un tel engagement, c'est qu'elles en retirent beaucoup de satisfaction. Le sentiment d'être capables de « faire une différence », un sens plus élevé (donné à leur vie) et la croissance personnelle qui en résultent constitueraient de puissants facteurs de motivation (Mount, 1992).

Cet aperçu du bénévolat en soins palliatifs donne une idée des conditions susceptibles d'en permettre la réalisation. Nous abordons maintenant certains sujets de préoccupation qui font craindre que ces conditions deviennent difficiles à mettre en place à plus ou moins court terme de même que les défis ainsi posés.

Changements perceptibles et défis à relever

Le mouvement des soins palliatifs a été défini comme un nouveau mouvement social (Elsey, 1998) et, partout, il compte sur le bénévolat pour atteindre une partie de ses objectifs (Last Acts, 1998 ; Brazil and Thomas, 1995 ; Mount, 1992, Annexe). Pour s'assurer que ce « trésor national » (Mount, 1992) soit toujours disponible, il faut être conscient des changements qui risquent d'en tarir la source. Nous ne pouvons qu'en évoquer quelques-uns ici.

Vieillissement de la population et expansion des soins palliatifs

La population canadienne vieillit parce que l'espérance de vie augmente, mais aussi parce que la proportion de jeunes de moins de 15 ans diminue. Elle vieillit au Québec plus que dans les autres provinces, puisque les jeunes de moins de 15 ans n'y constituaient que 19,2 % de la population totale en 1996, la plus faible proportion de toutes les provinces (Statistique Canada, 1997). Les projections annoncent que cette tendance ira en s'accentuant vraisemblablement jusqu'en 2040, année où prendraient fin les effets du *baby boom* (Légaré et Martel, 1996). On parle maintenant de « géronto boom ». Vieillir est une chose ; vieillir en bonne santé en est une autre. Selon Légaré et Martel (1996) :

> *... on estime que, dans les pays industrialisés, un individu passe environ 80 % de sa vie en bonne santé, et 20 % dans un état de santé difficile. (...) De plus, l'espérance de vie en bonne santé a varié moins rapidement au cours des dernières décennies que l'espérance de vie à la naissance. Tous ces indicateurs laissent entendre finalement que les années arrachées à la mort sont souvent des années passées en incapacité* (p. 794).

Il n'est donc pas étonnant que les soins palliatifs prennent de l'expansion. Il faut également souligner un alourdissement de la tâche associé à une réduction de la durée de séjour des malades comme conséquence de la restructuration du système de santé.

Le tableau ci-dessous présente le nombre d'organismes communautaires et d'établissements du réseau de la santé du Québec qui disaient offrir, en 1995, une forme ou l'autre de services en soins palliatifs dans chaque région.

Nombre d'organismes communautaires et d'établissements du réseau de la santé du Québec qui offrent une forme ou l'autre de services en soins palliatifs dans chaque région[4]

Région		Total
01	Bas-Saint-Laurent	13
02	Saguenay-Lac-Saint-Jean	5[5]
03	Québec	7[6]
04	Mauricie-Bois-Francs	5
05	Estrie	6[7]
06	Montréal-Centre	20[8]
07	Ouatouais	3[9]
08	Abitibi-Témiscamingue	4
09	Côte-Nord	1[10]
10	Nord-du-Québec	0
11	Gaspésie-Îles-de-la-Madeleine	2
12	Chaudière-Appalaches	8[11]
13	Laval	2
14	Lanaudière	3
15	Laurentides	5
16	Montérégie	19[12]
17	Kativik	0
18	Terres-cries-de-la Baie-James	0
Total		**103**

Bien sûr, le bénévolat ne sera pas sollicité également par tous les établissements puisque, dans ceux du réseau officiel, des pressions syndicales et professionnelles limiteront davantage le recours à cette ressource. Et heureusement ! Car il n'est pas certain qu'on pourrait répondre à une demande toujours croissante. Outre les changements quantitatifs observables dans le bénévolat, on peut y voir une mutation certaine.

Tendance à la professionnalisation et à l'institutionnalisation du bénévolat

Des études récentes (LaPerrière, 1998 ; Robichaud, 1998) confirment la tendance décrite par Redjeb (1991) il y a près de dix ans, à l'effet que le bénévolat vit de profondes transformations. Plusieurs contraintes introduites au cours des vingt dernières années montrent qu'il a fortement tendance à se professionnaliser : processus de sélection, formation initiale et continue, promesse d'engagement qui prend presque la forme d'un contrat, division du travail (en particulier les fonctions de gestion et de terrain), règles de conduite et production de rapports. Le bénévolat a également tendance à adopter le modèle moderne de gestion des ressources humaines et à se rapprocher de l'État avec ce que cela comporte de compromis à faire entre la logique du don spontané et celle du droit à des services étatisés. Selon Robichaud (1998), la clientèle, surtout celle des personnes âgées, aurait tendance à devenir plus exigeante, ne faisant pas toujours la distinction entre des bénévoles et des participants à un programme de réinsertion au travail.

Cette nouvelle tendance se reflète dans des documents du Centre d'action bénévole de Québec (C.A.B.Q., 1998a, 1998b) ; elle provoque des déchirements à l'intérieur de certains organismes communautaires (Berthelot, 1998) et pourrait même expliquer en partie une certaine désaffection des bénévoles (Robichaud, 1998) qui risque d'accentuer les difficultés de recrutement. Notons qu'au Québec, en 1997, le taux de bénévolat (22 %) était plus faible que celui de toutes les autres provinces (entre 32 % et 38 %) (Bowen et coll., 1998). Si les milieux de soins palliatifs semblent encore exercer une attraction particulière qui les met présentement à l'abri d'une pénurie de bénévoles, rien ne garantit qu'il en sera toujours ainsi, d'où l'importance d'examiner les conditions favorables au recrutement et à la conservation des nouvelles recrues.

Importance d'un encadrement flexible, de la reconnaissance et d'une gestion participative

Parmi les défis touchant l'action bénévole mentionnés dans l'étude pancanadienne sur le bénévolat dans le secteur canadien de la santé, mentionnons le peu de temps dont disposent les personnes désireuses de faire du bénévolat, le fait que les bénévoles souhaitent s'engager dans des activités intéressantes et être traités de manière professionnelle, une tolérance moins grande de la part des bénévoles devant un style de gestion et une bureaucratie autoritaires et des régimes de travail à la fois plus souples et plus instables. Ces facteurs font en sorte que la gestion du bénévolat est en train de devenir une profession (LaPerrière, 1998) dans laquelle l'art et la science de la motivation occupent une place centrale (C.A.B.Q., 1998b). Ils invitent aussi les gestionnaires à faire preuve de flexibilité et à envisager pour l'avenir des formes d'engagement plus orientées vers du bénévolat ponctuel et pour des durées limitées.

Enfin, soulignons l'importance que les bénévoles accordent à la reconnaissance de leur travail, de la part des bénéficiaires d'abord, mais aussi de la part de l'organisme dans lequel ils et elles œuvrent. À cet égard, Berthelot (1998) exprime des réserves vis-à-vis la philosophie « Bénévoles Maîtres D'œuvre » et suggère plutôt une approche d'auto-habilitation communautaire :

Consacrer de l'énergie aux pratiques bénévoles, c'est en quelque sorte travailler à l'auto-habilitation de l'ensemble des bénévoles. Non pas en leur donnant du pouvoir, mais en libérant celui qui se trouve en eux. Et cet objectif est réalisé lorsque chacun voit en quoi sa contribution fait une différence. À cet effet, les valeurs constituent la force motrice, et le partage des informations est essentiel. (...)

À cet égard, il me semble essentiel de multiplier les lieux de partage de l'information et de réflexion sur des valeurs collectives à promouvoir (p. 21).

Conclusion

À l'aube de l'an 2000, le bénévolat, en soins palliatifs comme dans d'autres champs d'action du secteur de la santé, fait face à de nouveaux défis. Alors qu'il doit s'accommoder de nouvelles réalités socio-économiques et de tendances démographiques défavorables à son épanouissement, il ne doit pas perdre l'essence de ce qui le caractérise : une façon de vivre, une manière d'être qui s'appuie sur une pulsion du cœur, un esprit ouvert et une forte conscience collective.

Le contexte actuel invite à être vigilant pour préserver la spontanéité et la créativité caractéristiques du bénévolat en soins palliatifs, qui font en sorte qu'un filet mignon puisse être servi avec une rose et qu'un vieux célibataire reçoive un dernier baiser sur son lit de mort. On ne doit pas sous-estimer l'ensemble des moyens mis en œuvre pour créer et entretenir un climat de travail favorisant un sentiment d'appartenance assez fort pour que des personnes poursuivent pendant des années un engagement bénévole exigeant parce qu'elles s'y sentent utiles et libres d'apporter leur contribution à la poursuite d'un but commun.

Liste des références

Association féminine d'éducation et d'action sociale (AFÉAS), CÔTÉ, Denise, Éric GAGNON, Claude GILBERT, Nancy GUBERMAN, Francine SAILLANT, Nicole THIVIERGE et Marielle TREMBLAY, *Qui donnera les soins ? Les incidences du virage ambulatoire et des mesures d'économie sociale sur les femmes du Québec*, Recherche en matière de politiques, Condition féminine Canada, Ottawa, 1998.

BÉLANGER, Geneviève. « Pourquoi fais-tu ça ? », *Le lien. Journal des bénévoles de la Maison Michel Sarrazin*, vol. 5, nº 3, février 1999, p. 2-4.

BERTHELOT, Pierre. *Rapport d'une consultation sur le bénévolat à Miels-Québec*, Direction de la santé publique de Québec, juin 1998, 25 p.

BOWEN, Paddy, Michael HALL, Tamara KNIGHTON, Paul REED, Patrick BUSSIÈRE et Don MCRAE. *Canadiens dévoués, Canadiens engagés : Points saillants de l'Enquête nationale de 1997 sur le don, le bénévolat et la participation*, Ottawa, Statistique Canada, 1998, 77 p.

BRAZIL, Kevin et Doris THOMAS. « The Role of Volunteers in a Hospital-Based Palliative Care Service », *Journal of Palliative Care*, 11 : 3/1995 ; 40-42.

C.A.B.Q. *La réalité de l'action bénévole et le CABQ*, dans la série Pour une gestion efficace des organismes communautaires et bénévoles, Ville Vanier, Centre d'action bénévole de Québec, 1998 a, 50 p.

C.A.B.Q. *Comment recruter, sélectionner et conserver ses bénévoles*, dans la série Pour une gestion efficace des organismes communautaires et bénévoles, Ville Vanier, Centre d'action bénévole de Québec, 1998 b, 55 p.

ELSEY, Barry. « Hospice and Palliative Care as a New Social Movement : A Case Illustration from South Australia », *Journal of Palliative Care*, vol. 14, n° 4, 1998, p. 38-46.

FORTIER, Jean-Claude. « Formation des bénévoles à l'accompagnement des endeuillés à La Maison Michel Sarrazin », *Frontières*, hiver 1993, p. 32-33.

GIBSON, Brenda. « Volunteers, doctors take palliative care into the community », *Canadian Medical Association Journal*, 153 (3), Aug. 1, 1995, p. 331-333.

GODBOUT, Jacques T. « Le bénévolat et l'entraide », *Relations*, n° 601, juin 1994, p. 143-147.

LALONDE, Viateur et Jean-Claude CHAUVIN. « Les soins palliatifs à domicile », *Frontières*, hiver 1993, p. 28-31.

LAPERRIÈRE, Barbara. *Le bénévolat dans le secteur canadien de la santé*, Ottawa, Bénévoles Canada, 1998, 99 p.

LAST ACTS Task Force on Palliative Care, Precepts of Palliative Care Developed by the Task Force on Palliative Care, Last Acts Campaign, Robert Wood Johnson Foundation, *Journal of Palliative Medicine*, vol. 1, n° 2, Summer 1998, p. 109-112.

LÉGARÉ, Jacques et Laurent MARTEL. Les aspects démographiques du vieillissement, dans *La personne âgée et ses besoins. Interventions infirmières*, sous la direction de Sylvie Lauzon et Evelyn Adam, Ville Saint-Laurent, Éditions du renouveau pédagogique, 1996, chap. 21, p. 781-802.

LEHMANN, François. « Les diverses implications d'un service de soins palliatifs », *Frontières*, hiver 1993, p. 34-35.

MORSE, Janice M., Joan BOTTORFF, Wendy NANDER et Shirley SOLBERG. « Comparative Analysis of Conceptualizations and theories of Caring », *Image : Journal of Nursing Scholarship*, vol. 23, nº 2, Summer 1991, p. 119-126.

MOUNT, Balfour, M. « Volunteers support services, a key component of palliative care », *Journal of Palliative Care*, 1992 ; 8(1) : 59-64.

REDJEB, Belhassen. « Du bénévolat au néo-bénévolat », *Nouvelles pratiques sociales, Dossier La réforme vingt ans après*, vol. 4, nº 2, Automne 1991, p. 59-79.

ROBICHAUD, Suzie. *Le bénévolat entre le cœur et la raison*, Chicoutimi, Les éditions JCL inc., Collection universitaire, 1998, 274 p.

STATISTIQUE CANADA 1997. Page consultée le 31 mars 1999, Statistique Canada, [En ligne], http://www.statcan.ca/Daily/Français/970729/q970729.htm

STOREY, Porter. « Social workers and volunteers at different stages of palliative care », *The American Journal of Hospice and Palliative Care*, March/April 1994, p. 5-7.

VAILLANCOURT, Pierrette. « Avec le cœur et l'âme ». Propos recueillis par Mireille Boileau, *Frontières*, hiver 1993, p. 39-40.

1. Désolées messieurs, le bénévolat en soins palliatifs s'accorde au féminin bien que la proportion d'hommes tende à augmenter.

2. Ce nombre inclut la responsable des bénévoles aux soins et son assistante.

3. Rassurez-vous ! Toutes les bénévoles n'ont pas toutes ces qualités… en même temps.

4. Données compilées par Léonard Bélanger, bénévole à la Maison Victor-Gadbois, à partir des 3 sources suivantes : *Rapport de la tournée québécoise en soins palliatifs* par le Dr André Brizard, 1992-1995 ; *Répertoire des ressources*, Fondation québécoise du cancer, 1995 ; *Bottin des ressources de formation et de recherche en soins palliatifs*, 1995.

5. Incluant la Maison Colombe-Veilleux et la Maison Notre-Dame-du-Saguenay.

6. Incluant La Maison Michel Sarrazin et la Maison Marc-Simon mais pas le Centre de Formation en soins palliatifs.

7. Incluant la Maison Aube-Lumière inc.

8. Incluant les infirmières VON et le Manoir Verdun CHSP.

9. Incluant la Maison Mathieu-Froment.

10. Il s'agit de la Vallée des Roseaux.

11. Incluant le Groupe Présence CLSC Arthur-Caux et la Maison Catherine-de-Longpré.

12. Incluant les infirmières du VON Hudson, la Maison Victor-Gadbois et le Centre Terre d'Émeraude.

Louis Dionne, M.D.,O.C. • Directeur général •
La Maison Michel Sarrazin • Sillery • Québec •
Courriel : soins@lmms.qc.ca

L'évolution des soins palliatifs : réflexions à partir d'une expérience

Entrevue avec le docteur Louis Dionne, M.D., O.C.

Il nous est apparu important, dans ce premier numéro des Cahiers, de donner la parole à un autre pionnier : le docteur Louis Dionne, fondateur de La Maison Michel Sarrazin avec le docteur Jean-Louis Bonenfant.

Située dans la région de Québec, La Maison Michel Sarrazin accueille des personnes atteintes de cancer dans la dernière étape de leur vie. L'accompagnement offert repose sur la philosophie des soins palliatifs.

Les propos qui suivent nous mettent en contact avec la vision d'un fondateur et sa passion pour les soins palliatifs. L'entrevue a été réalisée par madame Anne-Marie Desbiens, bénévole à La Maison Michel Sarrazin. Nous la remercions ainsi que la direction de la *Revue Notre-Dame*, qui nous a gracieusement fourni les services compétents de madame Yolande Richard pour le délicat travail du relevé de l'entrevue.

N.D.L.R.

Docteur Dionne, quels étaient les objectifs de départ de La Maison Michel Sarrazin ?

Nous avions trois objectifs : ouvrir un centre pour malades cancéreux en phase terminale ; mettre notre expertise à la disposition de tous ceux qui voudraient faire des soins palliatifs ; puis développer des programmes d'enseignement et de recherche. Ces objectifs ont été présentés au ministre de la Santé dès 1982 pour l'obtention des lettres patentes. L'année suivante, en 1983, nous avons signé une convention avec l'Université Laval dans laquelle était présenté plus en détail le volet enseignement-recherche. Cette convention comportait des obligations à la fois pour La Maison Michel Sarrazin et pour l'Université. Nous sommes alors devenus, avant même d'ouvrir la Maison, un centre d'enseignement et de recherche affilié à l'Université Laval.

Basés sur la philosophie que nous avions à propos du mourir, les objectifs de La Maison Michel Sarrazin ont été définis dans un document intitulé *Philosophie, pratiques et principes de La Maison Michel Sarrazin,* qui est paru un an avant l'ouverture de la Maison. Nous étions alors un groupe d'une vingtaine de personnes. Nous avons écrit notre façon de concevoir le mourir, précisé la triple vocation de La Maison Michel Sarrazin, à savoir les soins, l'enseignement et la recherche, puis défini les principes, qui ont été mis en application par la suite.

Comment voyez-vous La Maison Michel Sarrazin maintenant ?

Après quatorze ans d'existence, La Maison Michel Sarrazin est vraiment devenue un centre qui accueille les cancéreux mourants et qui a pour principe fondamental que la fin de la vie doit être vécue avec la famille. C'est une vraie Maison familiale.

Nous avons aussi développé la participation de la communauté, représentée ici par les bénévoles, qui constituent un groupe très important parmi les membres du personnel. Dès le départ, la Maison a d'ailleurs été un projet communautaire, puisqu'elle impliquait à la fois la population, l'Université et les hôpitaux. Dans les faits, elle vit maintenant en grande partie grâce à la générosité financière de la population.

Si l'on compare hier et aujourd'hui, on peut donc dire que les objectifs de départ sont restés les mêmes, mais qu'ils ont été bonifiés, renforcés.

En cours de route, la réalité a certainement amené à changer des choses. Qu'est devenue La Maison Michel Sarrazin par rapport à la vision de départ ?

Nous avons d'abord connu quelques changements physiques. Au début, nous avions des chambres à deux lits. Nous avions même pensé aménager des chambres à quatre lits, comme au St.Christopher's Hospice dont nous nous étions inspirés. Cette Maison, située en Angleterre, qui accueille des patients ayant peu ou pas de famille, a en effet pour principe que la mort doit être vécue comme un événement communautaire. Mais, finalement, à la demande du personnel soignant, des membres des familles et des patients, qui souhaitaient plus d'intimité – deux malades, deux familles dans une chambre, ça fait beaucoup de monde ! –, nous avons réaménagé nos chambres en chambres privées, privilégiant ainsi la dimension familiale plutôt que communautaire.

Le deuxième changement qu'a connu la Maison a été la bonification de ses principes et de ses pratiques. Je pense particulièrement à cette habitude que nous avons prise, non sans quelque réticence au début de la part des familles et du personnel, d'amener le patient décédé au salon d'adieux. Petit à petit, ce rite de passage a pris de l'importance et est devenu un « plus » dans le cheminement personnel des survivants : la transition entre l'agonie et le salon funéraire se fait alors plus facilement.

La mise en place des services à domicile constitue un autre changement important. Plutôt limités et restreints au départ, ces services se sont peu à peu développés en quantité, en qualité et en temps investi. Nos trois infirmières de liaison rejoignent aujourd'hui par ce biais, en collaboration avec les divers CLSC, près d'une centaine de malades à domicile.

Quelles sont les forces et les faiblesses de La Maison Michel Sarrazin dans sa spécificité ?

Commençons d'abord par les forces, dont la première est, à mon sens, la concrétisation de nos principes dans la pratique. Le document de départ, *Philosophie, pratiques et principes de La Maison Michel Sarrazin,* nous a constamment servi à mettre en pratique des principes, de sorte que « la philosophie Sarrazin » est maintenant connue et appliquée dans la plupart des centres qui viennent nous visiter.

Une deuxième force réside dans l'expertise que nous avons développée, aussi bien avec les professionnels qu'avec le personnel de soutien et les bénévoles. Le fait de travailler dans une unité pendant plusieurs années auprès des mourants et de n'avoir qu'une seule vocation nous a permis de développer une expertise qui a énormément de valeur et qui rayonne maintenant en dehors de La Maison Michel Sarrazin.

La troisième force est le bénévolat. La présence des bénévoles, qui donnent gratuitement huit heures par semaine auprès des patients, constitue en effet une force exceptionnelle pour La Maison Michel Sarrazin. Les bénévoles participent aux soins. Ils font équipe avec l'infirmière. Et cela, c'est absolument unique.

Enfin, une dernière force réside dans l'implication même de la communauté, qui se manifeste par sa participation financière. Aujourd'hui, ce sont 50 % de nos revenus qui proviennent de la communauté, alors qu'au départ, c'étaient de 25 à 30 %. Sachant que les soins sont gratuits et voyant le bien-fondé de notre façon de faire, les gens sont très sensibilisés et sentent le besoin de nous aider. D'ailleurs, la communauté est très généreuse envers La Maison Michel Sarrazin. Voilà pour les forces.

Les faiblesses maintenant. Si le personnel, par exemple, manquait à ses devoirs, si l'on allait à l'encontre des principes de la Maison, ce seraient là des faiblesses, mais ce n'est pas le cas. Je préfère pour ma part parler de fragilités.

Nous sommes d'abord fragiles parce que nous nous occupons de mourants et que nous vivons toujours dans une situation délicate, à la fois pour le malade et sa famille, mais aussi pour nous. Nous nous impliquons personnellement et risquons donc constamment l'essoufflement et la démotivation. En ce sens, le soutien du groupe est très important. Une autre fragilité, c'est le mode de financement. Si un jour les hôpitaux et la communauté cessaient de nous aider, nous serions obligés d'imposer des frais aux patients et il y aurait alors une discrimination basée sur le revenu. Or, jusqu'à maintenant, nous accueillons des gens de toutes conditions, des pauvres comme des riches, venant de toute la région du Québec métro. Et nous les avons toujours reçus de la même façon, sans discrimination.

J'identifierais enfin une autre fragilité, qui est liée à l'évolution de la société et qui concerne non seulement La Maison Michel Sarrazin, mais toutes les unités de soins palliatifs : c'est la difficulté de faire passer actuellement le message de la place et de la valeur des soins palliatifs pour le soulagement de la souffrance. Si notre message est clair pour des gens qui nous connaissent, nous aident et utilisent nos services, nous avons de la difficulté à nous faire entendre de la population en général. Actuellement dans la société, il y a tout un mouvement qui évolue dans le sens de l'euthanasie et de l'aide au suicide. Or, le jour où l'on fera des lois qui permettront le suicide assisté, nous, qui préconisons les soins palliatifs, serons fortement affaiblis.

Comment La Maison Michel Sarrazin vit-elle la tension entre ses trois missions ?

Rappelons d'abord que les trois missions de la Maison sont les soins, l'enseignement et la recherche et que la priorité revient évidemment aux soins. Cette triple mission ne peut pas se vivre sans tension, et on le comprend aisément lorsqu'on regarde qui nous soignons. Nous soignons en effet un patient en fin de vie, qui est à la fois affaibli, fragile et vulnérable. Nous l'amenons dans un milieu où on lui dit qu'il sera chez lui et qu'il pourra vivre en famille. Et là, des étrangers se mettent à entrer. Comme personnel soignant, cela va de soi, puisque le mourant a besoin de soins. Mais quand s'ajoutent en plus des stagiaires, des professeurs, des chercheurs, la dynamique n'est plus la même.

Je dirais que l'enseignement s'est quand même introduit assez facilement. Il y a bien eu quelque réticence, au début, de la part du personnel soignant qui trouvait qu'il y avait trop de monde dans la chambre, mais on a compris rapidement l'importance de l'enseignement pour la promotion des soins palliatifs.

Ce fut un peu plus difficile en ce qui regarde la recherche, car on craignait de fragiliser encore davantage le patient déjà si vulnérable. Aussi, le comité d'éthique a-t-il dû se pencher sur les règles à suivre et établir des balises pour faire de la recherche tout en respectant le désir du patient de participer ou non, tout en préservant aussi sa qualité de vie, son intimité et la confidentialité requise. Pour beaucoup de patients, et c'est là un aspect que l'on avait minimisé, la participation s'avère très valorisante : ils sont souvent heureux de pouvoir apporter leur aide à d'autres malades, ils ont l'impression de réaliser quelque chose avant de partir.

Les tensions entre les différentes missions de la Maison ont donc diminué, et nous sommes arrivés, avec le temps, à concilier assez bien les trois. Il reste la tension entre les intervenants. Petit à petit, nous avons appris à travailler en équipe, à vivre ce qu'on appelle l'interdisciplinarité. Et aujourd'hui, la communication entre les personnes soignantes se fait bien. Il y a encore quelques aléas, de temps en temps, mais la solution à toutes ces tensions réside dans la communication. Et je pense qu'il y a maintenant une bonne communication et un bon soutien entre les membres de l'équipe.

Pourquoi n'accepter que des patients cancéreux ? Est-ce justifié de continuer ainsi ?

Je pense que ce choix est justifié. Dans tous les services de soins palliatifs à travers le monde, et particulièrement en Angleterre où ils sont très nombreux et fort bien organisés, 95 % des patients admis dans ces unités sont des cancéreux. Et ce choix est fondé sur la connaissance que nous avons de l'évolution du cancer par rapport à celle des autres maladies.

Contrairement à une maladie cardiaque ou dégénérative, à une insuffisance rénale, pulmonaire ou cérébrale, le cancer a ceci de particulier, à savoir qu'il y a une étape où l'on est obligé de constater que tous les traitements utilisés sont inefficaces. On prend alors la décision d'arrêter tout traitement. On ne traite plus la maladie, ni ses complications. Si le malade fait un arrêt cardiaque, c'est tout simplement sa façon de mourir, et l'on ne s'acharne pas à le réanimer. Alors que, dans le cas d'une crise cardiaque, on va souvent tout mettre en branle jusqu'à la mort, parce que si le patient réussit à passer à travers la crise aiguë, il pourra survivre.

Ce qui distingue aussi le cancer des autres maladies, c'est que, dans 95 % des cas et plus, les cancéreux gardent leur état de conscience jusqu'à la fin. Il n'en est pas ainsi dans le cas de l'insuffisance cardiaque ou rénale, par exemple, où à un certain moment, les malades deviennent comme obnubilés et comateux.

Enfin, une troisième différence entre le cancer et les autres maladies réside dans ce fait : la présence de la famille, souhaitable et capitale, est acceptée auprès des cancéreux, parce qu'en phase terminale, on ne traite plus ces mourants qu'avec des médicaments visant à soulager leurs symptômes de façon acceptable. Ainsi, plus la famille est présente, meilleure est la qualité de vie pour ces patients. Il ne peut pas en être ainsi pour les malades qui sont aux soins coronariens ou en dialyse rénale. Dans ces derniers cas, la famille est physiquement tenue à l'écart, compte tenu du contexte dans lequel le malade est traité. C'est pour ces trois raisons liées à la connaissance de l'évolution du cancer que La Maison Michel Sarrazin n'admet que des cancéreux. Et il me semble justifié de continuer ainsi.

Pourquoi une société doit-elle se préoccuper des soins aux personnes en fin de vie ?

On juge de la valeur d'une société au traitement qu'elle accorde à ses plus démunis. Une société qui ne s'occuperait pas de ses membres qui sont mal pris ou affaiblis ne serait pas une société humaine ou digne de ce nom. Or, les personnes en fin de vie sont particulièrement affaiblies. De plus, les deux ou trois dernières semaines de vie sont probablement, pour tout être humain, une des périodes les plus importantes de sa vie. Nous nous devons alors, comme société, de prodiguer aux personnes qui sont sur le point de mourir les soins dont elles ont besoin, de leur permettre de vivre leurs derniers moments en famille, et, si tel est leur désir, de faire en sorte qu'elles ne meurent pas seules et complètement isolées.

Nous ne sommes pas des ermites. Nous sommes tous des êtres sociables et nous nous devons d'être solidaires les uns des autres. C'est donc par solidarité humaine que nous nous occupons des personnes en fin de vie, par altruisme aussi, et par amour du prochain.

Comment entrevoyez-vous les perspectives de développement en soins palliatifs dans notre société ?

Je crois que les perspectives de développement sont très bonnes parce que les gens connaissent de plus en plus les soins palliatifs et qu'ils sont maintenant sensibilisés à cette qualité de soins qui se donnent un peu partout dans le monde. Les soins palliatifs sont dispensés en Angleterre depuis trente ans ; ici, en Amérique, depuis environ vingt-cinq ans, et il s'agit là d'un mouvement irréversible, car les gens exigent maintenant des soins de qualité.

Par ailleurs, un peu partout dans le monde, les infirmières, les médecins, les travailleurs sociaux, les pasteurs entendent de plus en plus parler du mourir et ils s'intéressent aux soins aux mourants. Le personnel soignant est mieux formé aujourd'hui. Autrefois, ils ne l'étaient pas. Lorsque j'ai fait mon cours de médecine, on ne parlait pas de soins palliatifs. C'est à peine si l'on parlait de soins de la douleur. L'on traitait bien la douleur aiguë, mais on n'était pas très habile à soulager la douleur chronique.

Enfin, je crois que le virage ambulatoire, qui existe en Europe depuis longtemps et qui a été mis en place récemment au Québec, aura aussi des incidences sur le développement des soins palliatifs. Il y a cinquante ans, les gens mouraient à la maison. Puis, durant une assez longue période, ils sont morts davantage à l'hôpital. Maintenant, ils retournent chez eux pour mourir, et ce mouvement de retour à domicile fait en sorte que les soins aux mourants sont de plus en plus demandés et dispensés par des personnes soignantes qui sont mieux formés à ce type de soins.

Quels sont les défis que doivent relever les soins palliatifs ?

Les défis sont immenses, mais le plus grand, je crois, est d'arriver, dans la pratique quotidienne, à transporter l'expertise que nous avons acquise, dans les unités de soins palliatifs comme la nôtre jusqu'au lit du patient, chez lui, à domicile. Et cela va prendre du temps. Parce que les soins palliatifs sont une jeune spécialité dont on commence à peine à faire la promotion. Ce ne sont donc pas tous les médecins de famille, au Québec ou ailleurs, qui sont aptes actuellement à dispenser ces soins palliatifs à domicile.

Le défi sera aussi long à relever parce qu'il implique un changement à la fois dans le comportement du personnel soignant et dans les attitudes de la communauté face à ses mourants. De tels changements ne se font pas rapidement, mais ils se font par l'entremise de la formation dans le cas du personnel soignant, et par celle de l'expérience dans le cas de la population. J'ai vu ici des gens se transformer au contact d'un mourant et apprendre à considérer différemment le mourir. Lorsque ces gens seront à nouveau confrontés à la mort, ils auront déjà une attitude différente. Et, petit à petit, ce changement d'attitude fera boule de neige.

L'autre grand défi à relever pour les soins palliatifs, j'y ai fait allusion plus haut, est de contrecarrer le mouvement euthanasique qui est en train de faire des percées importantes, surtout en Europe, aux États-Unis et en Australie. La façon de faire de ce mouvement, on le sait, est d'enlever la vie pour soulager la douleur humaine, alors que les soins palliatifs choisissent plutôt d'accompagner la vie pour atteindre le même but.

Ce qui est en train de se passer actuellement du côté de l'euthanasie ressemble beaucoup à ce que j'ai connu quand j'étais plus jeune du côté de l'avortement. On a commencé par faire des avortements clandestins, puis, devant le nombre grandissant d'avortements, on a voulu légaliser l'interruption volontaire de grossesse. On a alors créé des comités d'avortement thérapeutique, dont j'ai fait partie comme chef de service. Avec le temps, ces comités sont devenus inutiles parce qu'on est finalement passé à l'avortement sur demande.

Je crois que nous risquons fort, avant longtemps, de voir la population évoluer exactement de la même façon, dans le sens de l'euthanasie, et d'en arriver, après des débats publics, à des comités d'euthanasie thérapeutique, et finalement à l'euthanasie sur demande. D'ailleurs, il se fait déjà de l'euthanasie active aux États-Unis – le Dr Jack Kevorkian vient tout juste d'être condamné pour avoir donné intentionnellement la mort à un patient qui le demandait et qui était atteint de la maladie de Lou Gehrig –, mais elle se fait clandestinement, car ce n'est légal que dans l'État de l'Orégon. Partout ailleurs, aux États-Unis et dans tous les autres pays, même en Hollande, l'euthanasie active n'est que tolérée. Si elle était légalisée, ne risquerait-on pas d'ailleurs de voir se développer un manque de confiance entre le personnel soignant et les patients ?

Je ne pense pas, personnellement, que l'euthanasie ne soit jamais légalisée, mais si nous devions en arriver là, ce serait un coup dur pour les soins palliatifs. Nous serions alors pris entre l'arbre et l'écorce, entre la loi, qui permettrait de donner la mort sur demande, et nos convictions profondes, qui nous diraient de ne pas le faire. Car il y a moyen de soulager physiquement la douleur, d'accompagner la souffrance morale à la fin de la vie et de permettre aux gens de vivre leur mort comme un événement positif, qui apporte une certaine croissance.

Quels seraient les obstacles à la promotion des soins palliatifs ?

Les obstacles au déploiement des soins palliatifs proviennent de plusieurs facteurs, mais principalement du changement de valeurs et de principes. Les valeurs de la société ont beaucoup changé depuis quelques décennies. Aujourd'hui, nous sommes beaucoup plus indépendants et individualistes, beaucoup plus portés à vivre chacun pour soi : on considère que chacun est maître de sa vie et a le droit de décider de s'enlever la vie. De sorte qu'on en est rendu à penser que, si l'on est mal pris ou malade, c'est tout à fait « correct »de recourir à cette solution ultime, tout à fait « correct » aussi que la société y recoure lorsqu'on n'est pas capable de le faire soi-même. Un tel changement de valeurs constitue un obstacle majeur au développement des soins palliatifs, comme aussi, je crois, la perte de la foi, la perte des croyances.

Un autre obstacle important, qui touche principalement les médecins cette fois, est l'absence de réflexion de la médecine. Actuellement, la médecine a perdu la vocation sociale qu'elle avait autrefois. Elle a connu un extraordinaire développement technique, et certains médecins sont devenus des super techniciens qui, en posant des gestes de grande valeur au point de vue scientifique, réussissent à prolonger la vie. Cependant, la qualité de la vie ne s'améliore pas toujours pour autant.

La société médicale se doit, me semble-t-il, de réfléchir profondément sur ses valeurs. Où s'en va-t-on ? Qu'est-ce qui est le plus important ? La quantité ou la qualité de la vie ? Autrefois, on disait : la vie est sacrée, il ne faut pas y toucher, et c'est toujours l'argument invoqué par l'Église dans le débat sur l'euthanasie. Aujourd'hui, on dit : ce n'est plus la vie en soi qui est sacrée, mais bien plutôt la qualité de la vie.

Enfin, une certaine tendance dans la pratique médicale actuelle constitue à mon sens un autre obstacle à la promotion des soins palliatifs. Beaucoup de médecins travaillent maintenant à temps partiel, pratiquent en groupe, font de la médecine sans rendez-vous. De sorte qu'ils ne connaissent pas leurs patients, ne font pas de suivi, et que les patients, eux, deviennent des numéros qui ne sont jamais vus par les mêmes médecins. La consultation devient alors une simple technique. Le contact, qui permettait autrefois au médecin de connaître les valeurs de son patient et à la fois de traduire les siennes, existe de moins en moins.

Que pensez-vous de l'investissement fait au Québec en soins palliatifs ?

Les soins palliatifs, rappelons-le, ont commencé en Angleterre il y a trente ans et se sont développés dans toutes les régions de façon intensive. Ici, au Québec, on parle de soins palliatifs depuis près de vingt-cinq ans et je pense que nous avons été passablement avant-gardistes. Il y a des services presque partout maintenant dans la province. On compte quelques maisons comme la nôtre, beaucoup d'unités dans les hôpitaux, beaucoup de services à domicile également. De sorte que l'investissement en personnel soignant formé et intéressé aux soins palliatifs est assez élaboré. De plus, la population chez nous est très sensibilisée, beaucoup plus qu'ailleurs. Les gens connaissent les soins palliatifs, ils connaissent le terme. Ils sont exigeants aussi. Et c'est là un investissement important.

Par ailleurs, au Canada, les divers paliers de gouvernement ont pris position en faveur du développement des soins palliatifs. La France vient de faire la même chose par une réglementation qui préconise l'ouverture d'unités de soins. Les hôpitaux ont maintenant des budgets, développent des exigences et font des règlements pour développer ces soins.

Depuis une dizaine d'années, on trouve des associations de soins palliatifs dans toutes les provinces du Canada. Au Québec, c'est l'Association québécoise de soins palliatifs. Il y a également une association nationale, l'Association canadienne de soins palliatifs. Il s'agit là d'un autre investissement important.

Enfin, il ne faudrait pas oublier l'investissement financier. Un peu partout au Canada, les populations locales participent à la mise sur pied de services, et cela, aussi bien par leur bénévolat que par leur contribution financière. De sorte que je vois d'un très bon œil l'investissement qui se fait chez nous, et je pense que ce n'est qu'un début. Au Canada, et au Québec en particulier, nous avons été à l'avant-garde et nous sommes assez avancés. Il reste cependant encore énormément à faire.

Léon Burdin • « **Parler la mort** » Des mots pour la vivre
• Desclée de Brouwer • Paris • 1997 • 285 pages

Gilles Nadeau

Parler la mort
Des mots pour la vivre

L'auteur, un prêtre jésuite, œuvre depuis quinze ans au sein d'une équipe d'aumônerie, à l'Institut Gustave-Roussy, Villejuif, en banlieue de Paris. Son livre est avant tout un témoignage personnel sur une dimension importante de son engagement : l'accompagnement de personnes en fin de vie. Il nous parle d'elles, de leurs proches, du personnel soignant et de lui-même. Son témoignage est constitué de nombreux récits de rencontres avec ces personnes.

S'il écrit, précise-t-il, c'est pour contribuer au changement des mentalités. Dans le milieu culturel qui est le sien, il est souvent témoin que se vit mal le rapport à la mort, et des personnes en souffrent. On croit difficilement qu'une personne humaine ait la capacité de vivre sa mort. L'hôpital où il travaille, reconnu comme un des grands centres européens de traitement du cancer, est souvent un lieu où la mort est perçue comme un échec. Qu'advient-il alors de la personne qui meurt ?

Pour l'auteur, le malade n'est pas condamné à subir cette réalité éprouvante qui s'impose à lui. Son expérience d'« accompagnant » lui dit qu'il est possible de consentir à sa propre mort, de s'abandonner dans la confiance. Pour y arriver, le malade et ceux qui l'entourent doivent s'engager. Mourir est une « œuvre », une « tâche éminemment humaine ». Mourir devient ce que nous en faisons.

L'être humain, même enfant, a tout ce qu'il faut pour accomplir cette tâche. Il porte en lui des ressources qui rendent possibles la paix, la force et la liberté dans le processus du mourir. Son livre se veut une « célébration de la grandeur de l'homme aux frontières de la vie ». Nous sommes en pleine expérience spirituelle : une affaire de cœur, de l'ordre du sens. Aucun accompagnement n'est possible, ni valable, s'il ne repose pas sur cette conviction. La reconnaissance de la dignité du malade ne concerne pas uniquement son corps. Elle est aussi faite de ce regard de confiance porté sur lui et les forces qui l'habitent.

L'essentiel du témoignage du père Burdin réside dans le fait que, pour effectuer cette « œuvre », il est nécessaire de « parler la mort ». La parole permet de vivre humainement l'acte de mourir. Le malade et ses proches ont besoin de parler. Ils ont aussi besoin qu'on leur parle. Pourtant la tentation du silence est forte. Les résistances à libérer la parole sont nombreuses. Dans un centre d'excellence, on peut vouloir guérir à tout prix. Il ne faut donc pas nommer la mort. Par compassion, on peut vouloir protéger le malade et ses proches. Si on lui dit la vérité, il risque de perdre le moral. Or, souvent, le malade attend cette parole. Il veut savoir et il veut dire.

Dans ce milieu où la technique occupe une place importante, il est nécessaire d'avoir des hommes et des femmes au service d'une parole. L'aumônier est un éveilleur de cette parole. L'auteur nous partage des rencontres qui l'ont marqué. Son entrée dans la chambre, qu'elle provoque de l'agressivité ou de l'ouverture, dérange toujours. Homme sans bagage technique, il est un « passant-révélateur ».

Même si le milieu dans lequel le père Burdin évolue est différent du nôtre, particulièrement en regard du fait de dire la vérité au malade et à ses proches, son témoignage parlera aux personnes qui accompagnent en soins palliatifs. La préface de Bernard-Henri Lévy, qui ne partage pas la foi de l'auteur, témoigne de la valeur de ce livre pour toute personne « au service d'une parole » auprès du malade et de ses proches.

Directives aux auteurs

Les articles doivent respecter la politique éditoriale des Cahiers.

Les opinions émises dans les articles n'engagent que leurs auteurs.

Tous les textes sont soumis à l'attention d'un Comité de lecture.
La décision finale de publication revient au Comité éditorial.

À la suite des recommandations du Comité de lecture,
des modifications pourraient être demandées à l'auteur.

L'auteur accepte que la présentation finale du texte et la mise en page
relèvent uniquement de l'éditeur.

Le contenu doit être intégral.

Normes de présentation :

- nous fournir une disquette avec une sortie papier ;
- indiquer le type de traitement de texte sur lequel vous travaillez
(ex. : Word, Wperfect,) en l'inscrivant sur votre disquette ;
- ne mettez pas de code pour indiquer les niveaux de titre, les soulignés, l'italique, etc.
À titre d'exemple, si vous désirez de l'italique, soulignez simplement votre texte ;
- gardez à l'esprit que votre texte sera traité en composition typographique, ce qui donnera des épreuves, lesquelles seront corrigées par l'éditeur.
Vous en recevrez également une copie pour votre propre vérification ;
- afin de respecter le nombre de pages initialement prévu pour cette publication, respectez attentivement le gabarit qui vous est soumis.

Caractéristiques du gabarit :

- entre 77 et 80 frappes par ligne
(les espaces entre les caractères sont incluses) ;
- entre 27 et 33 lignes par page.

BASF Pharma

Nous remercions
la compagnie Knoll
pour sa contribution financière

Achevé d'imprimer en septembre 1999
sur docutech
Les Copies de la Capitale inc.
à Québec